Narratori Feltrinelli

Michele Serra
Gli sdraiati

Prima edizione ne "I Narratori" novembre 2013
Settima edizione dicembre 2013

Stampa Nuovo Istituto Italiano d'Arti Grafiche - BG

ISBN 978-88-07-01834-3

Gli sdraiati

a Teresa e Giovanni
a Tommaso e Federico

1.

Ma dove cazzo sei?

Ti ho telefonato almeno quattro volte, non rispondi mai. Il tuo cellulare suona a vuoto, come quello dei mariti adulteri e delle amanti offese. La sequela interminata degli squilli lascia intendere o la tua attiva renitenza o la tua soave distrazione: e non so quale sia, dei due "non rispondo", il più offensivo.

Per non dire della mia ansia quando non ti trovo, cioè quasi sempre. Ho imparato a relegarla tra i miei vizi, non più tra le tue colpe. Non per questo è meno greve da sopportare. Ogni sirena di ambulanza, ogni riverbero luttuoso dei notiziari scoperchia la scatola delle mie paure. Vedo motorini schiantati, risse sanguinose, overdosi fatali, forze dell'ordine impegnate a reprimere qualche baldoria illegale. Leggo con avidità masochista le cronache esiziali del tuo branco, quelli schiacciati nella calca dei rave party, quelli fulminati dagli intrugli chimici, quelli sgozzati in una rissa notturna in qualche anonimo parcheggio di discoteca, quelli pestati a morte da gendarmi indegni della loro divisa.

Una fragilità materna, non preventivata, rammollisce il mio aplomb virile. Mi rendo conto di sommare le due debolezze: la smania protettiva della Madre, le pretese di rettitudine del Padre. Mi vedo soccorrerti e contemporaneamente sgridarti, caricatura schizofrenica dell'autorità.

(Autorità: attorno a questa parola organizzo, da quando sei nato, convegni tanto pomposi quanto inconcludenti. Ciascuno dei relatori ha la mia faccia, è un'assemblea dei miei cocci intellettuali che cercano la perduta unità, ciascuno rinfacciando agli altri la loro insipienza. Titolo ideale di questa farraginosa convention dovrebbe essere: "Quante volte invece di mandarti a fare in culo avrei dovuto darti una carezza. Quante volte ti ho dato una carezza e invece avrei dovuto mandarti a fare in culo".)

L'unica certezza è che sei passato da questa casa. Le tracce della tua presenza sono inconfondibili. Il tappeto kilim davanti all'ingresso è una piccola cordigliera di pieghe e avvallamenti. La sua onesta forma rettangolare, quando entri o esci di casa, non ha scampo: è stravolta dal calco delle tue enormi scarpe, a ogni transito corrisponde un'alterazione della forma originaria. Secoli di manualità di decine di popoli, caucasici maghrebini persiani indostani, sono offesi da ogni tuo piccolo passo.

Almeno tre dei quattro angoli sono rivoltati all'insù, e un paio di grosse pieghe ondulate, non parallele tra loro, alterano l'orizzontalità del tappeto fino a conferirgli il profilo naturalmente casuale della crosta terrestre. In inverno tracce di fanghiglia e foglie secche aggiungono avventurose varianti di Land Art alle austere decorazioni geometriche del kilim. D'estate il disastro è più lindo, meno suggestivo rispetto al trionfo invernale. Ma la scarpa che imprime e svelle è sempre la stessa: tu e la tua tribù avete abolito sandali e mocassini in favore di quegli scafi di gomma imbottita che vi ingoiano i piedi per tutto l'anno, nella neve fradicia come nella sabbia arroventata. L'orbita della Terra attorno al Sole vi è estranea, vi vestite allo stesso modo quando soffia il blizzard e quando il sole cuoce il cranio, avete relegato il tempo atmosferico tra i dettagli che bussano vanamente sulla superficie del vostro bozzolo.

In cucina il lavello è pieno di piatti sporchi. Macchie di sugo ormai calcinate dal succedersi delle cotture chiazzano i fornelli. Questa è la norma, l'eccezione (che varia, in festosa sequenza) è una padella carbonizzata, o il colapasta monco di un manico, o una pirofila con maccheroni avanzati che produce le sue muffe proprio sul ripiano davanti al frigo: un passo ancora e avrebbe trovato salvezza, ma la tua maestria nell'assecondare l'entropia del mondo sta esattamente in questo minimo, quasi impercettibile scarto tra il "fatto" e il "non fatto". Anche quando basterebbe un nonnulla per chiudere il cerchio, tu lo lasci aperto. Sei un perfezionista della negligenza.

Più di un posacenere, in giro per la casa, rigurgita di cicche. Spero non solo tue. Dalla piccola catasta è tracimata qualche unità ribelle, rotolata sul tavolo o caduta per terra. Scaglie di cenere ornano specialmente il divano, tuo habitat prediletto. Vivi sdraiato. Tranne che in cucina, dove domina il puzzo di rancido, la casa è impregnata del tanfo di sigaretta spenta, e perfino a me, che fumo, pare impossibile classificare quella cappa mortifera come il residuo di un piacere. Il tabagista più irrecuperabile dovrebbe venire qui un paio di volte alla settimana, respirare con quello che gli resta dei polmoni quest'aria combusta e melmosa. Si redimerebbe.

Quasi radiosa, in questo quadro bisunto e tendente allo scuro, è l'aureola candida che sta sotto la macchina del caffè. È fatta di zucchero. Deve sembrarti lezioso centrare con il cucchiaino la circonferenza della tazzina, e dunque spargi virilmente il tuo zucchero con il gesto largo e brusco del seminatore. Levando poi la tazzina, rimane al centro un piccolo cerchio intonso, e intorno un anello di zucchero. Mi ci sono affezionato, quasi come le formiche che a volte, in disciplinata fila, vengono a pascolare sul tuo astro involontario.

In bagno, asciugamani zuppi giacciono sul pavimento. Appendere un asciugamano all'appendiasciugamani è un'attività che deve risultarti incomprensibile, come tutte quelle azioni che comportano la chiusura del cerchio. Come richiudere un cassetto, o l'anta di un armadio, dopo averli aperti. Come raccogliere da terra, e piegare, i tuoi vestiti buttati ovunque, quelle felpe che paiono indossate da un corpo fatto di soli gomiti, bozzute anche nelle parti che non hanno ragione di esserlo, e per giunta farcite della maglietta che sfili in un solo colpo insieme a qualunque indumento sovrastante. La parte superiore del tuo vestiario è tutt'una, un multistrato che si compone vestendosi ma non si divide svestendosi.

Calzini sporchi ovunque, a migliaia. A milioni. Appallottolati, e in virtù del peso modesto e dell'ingombro limitato, non tutti per terra. Alcuni anche su ripiani e mensole, come palloncini che un gas misterioso ha fatto librare in ogni angolo di casa.

Qualche apparecchio elettronico lasciato acceso, sempre. Sulle pareti della casa buia, bagliori soffusi di spie, led, video ronzanti, come le braci morenti del camino nelle case di campagna. Spesso la televisione di camera tua replica anche in tua assenza uno di quei cartoon satirici americani (*Griffin* o *Simpson*) che dileggiano il consumismo. Oppure è il computer che sta scaricando musica, e sobbolle abbandonato sul letto (ho cercato di farti credere, inutilmente, che è pericolosissimo, che può bruciare la casa. Di questi miserabili espedienti è fatta la mia autorità).

Tutto rimane acceso, niente spento. Tutto aperto, niente chiuso. Tutto iniziato, niente concluso.

Tu sei il consumista perfetto. Il sogno di ogni gerarca o funzionario della presente dittatura, che per tenere in piedi le sue mura deliranti ha bisogno che ognuno bruci più di quanto lo scalda, mangi più di quanto lo nutre, illumini più di quanto può vedere, fumi più di quanto può fumare, compri più di quanto lo soddisfa.

2.

Intorno alla metà di questo secolo, secondo tutte le previsioni, la classe dominante, in Occidente, saranno i vecchi. A meno di invasioni vincenti dei popoli poveri (poveri e giovani saranno, anzi già sono, ormai sinonimi), le persone dai settantacinque in su saranno più della metà della popolazione. Ripeto e sottolineo: più della metà della popolazione. Miliardi di dentiere batteranno il ritmo del tempo residuo, miliardi di pannoloni assorbiranno le ultime acque di corpi disseccati. Un'umanità sfinita e transennata cercherà di protrarre oltre ogni logico limite il proprio potere. Ho qualche probabilità di farne parte, se tengo in ordine le mie arterie, la smetto di bere e fumare, evito i formaggi. Ma potrò fare tai chi in un parco, insieme ad altri cadaveri animati come me, senza che un cecchino del Fronte di Liberazione Giovanile, appostato su un tetto, mi centri in piena fronte? Ponendo fine, con un solo colpo bene assestato, alle mie pene e soprattutto alle sue?

Questa spettacolare pagina bellica, qui appena accennata, è solo uno dei tanti, appassionanti episodi della Grande Guerra Finale, quella tra Vecchi e Giovani, che dà il titolo a un romanzo grandioso e definitivo al quale sto lavorando da parecchio tempo: *La Grande Guerra Finale*. Almeno un paio di volumi. Di ampiezza tolstojana, come minimo. Naturalmente, la stesura definitiva richiede una maturità espressiva irraggiungibile alla mia età. La scriverò tra i novanta e i novantacinque, asserragliato in un resort fortificato insieme ad altri facoltosi moribondi come me, difeso *manu militari* da mercenari asiatici e africani giovanissimi, strapagati perché sparino sui loro coetanei per proteggere le nostre oscene agonie. Per adesso prendo appunti, imposto qualche capitolo, lavoro ai personaggi. Un giorno se vuoi ti faccio leggere qualcosa.

Non so ancora se farò vincere i Vecchi o i Giovani. Ciascuno dei due esiti ha i suoi pro e i suoi contro, dico dal punto di vista narrativo, perché da quello biologico non esistono dubbi: o vincono i Giovani o l'umanità, con tutto il suo glorioso strascico di vestigia, va a farsi fottere. È peraltro possibile, fortemente possibile, che un autore novantacinquenne (tale sarà la mia età quando uscirà, con clamore mondiale, *La Grande Guerra Finale*) parteggi disperatamente per la sopravvivenza dei Vecchi, ma sia abbastanza ipocrita da dissimularlo, anche per non urtare il senso etico dei lettori e specialmente delle lettrici, per definizione molto affezionate, si sa, all'idea della prosecuzione della specie.

Ho stabilito che l'eroe del libro deve essere in grado di portare a sintesi la superiore lungimiranza dei Vecchi – ovvero dell'autore stesso – e le ragioni di quella confusa ma in fondo lecita prospettiva che chiamiamo "futuro dell'umanità".

L'eroe del libro, insomma, non può che essere un traditore. Si chiama Brenno Alzheimer (il nome è provvisorio, temo sia troppo caricaturale: *La Grande Guerra Finale*, sia ben chiaro, sarà un affresco storico di forte impronta drammatica), è uno dei leader dei Vecchi, un intellettuale decrepito e molto rispettato. Simpatizza con il nemico, e trama in gran segreto per l'affermazione dei Giovani, fino a immolarsi per la causa. Scoperto, viene condannato alla fucilazione ma riesce a morire prima dell'esecuzione sospendendo i farmaci contro l'ipertensione.

Naturalmente, Brenno Alzheimer sono io.

3.

Oggi ti sei svegliato nello stesso momento in cui si sveglia tutta la città. Quando il concerto umano (il rombo del traffico, il clangore delle serrande, il battere dei passi) sale sempre più forte. Quando la gente va a lavorare, i bambini a scuola, tutto sembra fresco e nuovo, e tutti sembrano partecipi dello stesso ritmo, membri della stessa comunità.

Peccato che la città sia Anchorage.

Adesso sono le sette di sera. Rabbuia. Per il resto del mondo si avvicina l'ora di cena. Non per te e la tua tribù. Per voi, nessuna ora si avvicina o si allontana. Né l'ora sociale – quella degli orologi, quella del consesso umano –, né l'ora naturale – l'alternarsi di luce e buio, quella che batte il ritmo del mondo e regola la vita delle bestie e delle piante, quella che fa riverberare il moto dell'universo fino nei minuti meandri che ci ospitano – sembrano poter influire sull'andamento delle vostre vite.

4.

Dormi. Nel tuo assetto classico, sul divano, in mutande, davanti alla tivù accesa. La spengo. Nella stanza finalmente silenziosa galleggia la luce mite di un pomeriggio autunnale. Il tuo profilo, ormai al valico dell'età adulta, mi sembra esitante, come se il bambino che sei stato lo reclamasse ancora per sé. Lo stravacco scomposto del tuo corpo perde evidenza rispetto al tuo viso intatto, ai suoi tratti puliti. Il respiro è leggero, la fronte sgombera, le palpebre lisce e integre come un libro mai aperto. Ho la nitida sensazione che questo – esattamente questo – sia l'ultimo istante della tua infanzia. Scomparirà per poi riapparire sempre più raramente, nel corso degli anni, quel bagliore infantile che perfino nei vecchi ogni tanto rivela le tracce dell'inizio. Ma in questo momento il tuo volto addormentato ha una tale purezza di lineamenti da sembrare mai più eguagliabile, e dunque definitiva: contiene il suo addio agli anni (pochi) dell'innocenza.

Penso a come è stato facile amarti da piccolo. A quanto è difficile continuare a farlo ora che le nostre stature sono appaiate, la tua voce somiglia alla mia e dunque reclama gli stessi toni e volumi, gli ingombri dei corpi sono gli stessi.

L'amore naturale che si porta ai figli bambini non è un merito. Non richiede capacità che non siano istintive. Anche un idiota o un cinico ne è capace. La cagna primipara è del tutto inesperta, ma apre coi denti il sacchetto della placenta, lecca il naso dei cuccioli per aiutarli a respirare, lascia che scivolino sul suo ventre e si abbandona al succhio forsennato di sei, otto ladri di vita. È anni dopo, è quando tuo figlio (l'angelo inetto che ti faceva sentire dio perché lo nutrivi e lo proteggevi: e ti piaceva crederti potente e buono) si trasforma in un tuo simile, in un uomo, in una donna, insomma in uno come te, è allora che amarlo richiede le virtù che contano. La pazienza, la forza d'animo, l'autorevolezza, la severità, la generosità, l'esemplarità... troppe, troppe virtù per chi nel frattempo cerca di continuare a vivere.

"Chi nel frattempo cerca di continuare a vivere", ecco una onesta definizione media dei genitori: dico quelli della mia generazione, ma più compiutamente, e con molti patemi in meno rispetto a noi, anche quelli che ci hanno preceduto. Con il forte sospetto – quasi una certezza – che le generazioni precedenti, quanto all'arte di non farsi sopraffare dai figli, fossero molto più attrezzate della nostra.

Quando ero piccolo io, i bambini non erano ammessi alla tavola dei genitori fino a che non si sapessero comportare. I genitori volevano mangiare e parlare in pace. I bambini a tavola danno fastidio, interrompono, reclamano attenzione. Non so dire se fosse *giusto* o *sbagliato* escluderli dalla mensa dei grandi. Certo era funzionale: e secondo la mia esperienza lo era anche per noi, per i bambini.

A casa dei miei nonni, al mare, nelle interminabili sere d'estate, mio fratello e io cenavamo prima, in cucina o meglio ancora sul terrazzo, seduti a un piccolo tavolo di ferro rosso e bianco, godendo di un menu speciale che ci esentava dai minacciosi orrori allestiti per la cena degli adulti. Di solito ci preparavano minestrina (la prediletta era di semolino, con molto parmigiano) e sogliola, la pesca a fettine, a volte il lussuoso crème caramel scodellato da uno stampo a spicchi. Gli adulti a turno venivano a trovarci, e ricordo con gratitudine la brevità dell'ispezione, i sorridenti monosillabi con i quali sbrigavano la pratica facendo tintinnare in una mano il drink ghiacciato, la prospettiva, mentre loro sparivano in sala da pranzo, di rimanere lì a leggere in pace "Topolino" su una sdraio tra lo stridio delle rondini, nella luce scemante. Era uno dei rari momenti in cui il tempo immobile della mia infanzia rivelava, in un anticipo premonitore, il suo incomprensibile consumarsi. Ma bastava l'avvento della notte, con tutte quelle stelle in festa, le luci delle barche sul mare, il crepitio e il puzzo delle zanzare e delle falene folgorate dalla graticola azzurrastra sospesa al muro del terrazzo, a cancellare ogni malinconia, a restituirmi all'interminabile felicità dell'estate.

Ripensandoci, mi rendo conto di avere interpretato quelle cene appartate non come un'esclusione, ma come un'esenzione. Fino a che potevo mangiare semolino, sogliola e crème caramel con mio fratello, tra le rondini che sfioravano il terrazzo, voleva dire che potevo rimanere un bambino. Che *ero* un bambino. Che avrei potuto rimandare quelle conversazioni impegnative, spiritose, a tratti nervose che impegnavano gli adulti: mi bastava godere, di quelle parole complicate, il vago riverbero che arrivava fino alla mia sdraio. Certificava, quel riverbero sonoro, la presenza rassicurante degli adulti, gli addetti alla mia cura, i miei protettori. Del loro mondo io ero ai margini. Ma non esiliato. Ero incluso nell'aura della grande famiglia, ma lasciato nella mia periferia di luce calante, di meditabonda ignavia, di irresponsabilità. Bambino, un bambino che conta gli spicchi del crème caramel, si chiede quanti ne potrà mangiare, quanti suo fratello, e ancora non sa, per sua fortuna e sua salvezza di spirito, che contando quegli spicchi e valutando la fame del fratello prepara la lotta della vita adulta, lo smaniare dei grandi, la sopraffazione e il potere...

Ripenso con rimpianto a quella felice marginalità infantile, a quella pre-vita così densa di profumi, di beate solitudini, di tempo vuoto e silenzioso, quando assisto alle omissioni o alle complicità degli adulti, nei ristoranti, di fronte a schiamazzi e corse forsennate dei loro piccoli cari, resi isterici da una promiscuità imposta e priva di qualunque assetto, di qualunque educazione. O quando assisto al triste esibizionismo di bambini che la volgarità sentimentale dei genitori trasforma in miniature di adulti, scaraventati in pasto alla loro acerba vanità e al voyeurismo infanticida dei grandi. Dal settore del mio cervello dove siedono, come in un parlamento in miniatura, i reazionari in quota alla mia sensibilità e alla mia esperienza, si constata, severamente, che ogni crollo di ordine è un inevitabile crollo di bellezza: e prima che nuova bellezza intervenga a dare ordine e respiro alla vita di tutti, possono passare molti anni o anche molte generazioni. I progressisti non sanno come replicare e chiedono la sospensione della seduta.

Dovresti venire con me al Colle della Nasca. Tu non hai idea di come ti piacerebbe. Tu non hai idea di quanto ti farebbe bene. Sono sei ore di cammino: non troppe, non poche. Si dorme nel piccolo albergo sul torrente, ci si sveglia alle cinque, si beve il caffè, si prepara lo zaino. Si sale, si sale, si sale lungo il sentiero che rimonta il bosco di larici. La prima luce del giorno fatica a filtrare tra i rami fitti e basta appena per vedere dove si mettono i piedi. Si suda e si tace. Il fiato si impenna, si fa irregolare, poi piano piano ritrova misura. Si arriva al lago, ci si ferma a fare colazione al primo sole del mattino.

Poi ancora si sale, si sale, si sale sopra i duemila, nella pietraia interminabile, tra le marmotte che fischiano e scappano. Ancora si suda e si tace. Si arriva in cresta, se ne segue il dorso che è un rosario di saliscendi, davanti alla vetta del Corno Basso si devia sulla destra. Si deve rimanere alti sul vallone, facendo bene attenzione a non perdere quota. Si guadagna, sudando e tacendo, il versante opposto del monte, si imbocca una seconda cresta che sale fino a una stretta forca tra due cime aguzze di ardesia. Quello è il Colle della Nasca. Duemilasettecento metri. Ci sono solo: ardesia e cielo. È il posto più bello del mondo. La prima volta che ci sono salito avevo undici anni. Mi ci ha portato mio padre.

5.

La tua amica Pia è qui con me. Compatibilmente con il tatuaggio da calciatore sulla spalla destra e la pettinatura da attinia, è piuttosto carina.

Sono andato a prenderla ieri sera alla stazione di Livorno, come tu mi hai chiesto. Per farlo, ho rimandato una cena programmata da un paio di settimane. Pia sapeva che tu hai perso il treno e arriverai solo (forse) questa sera, ma non mi è parsa eccessivamente afflitta dalla tua assenza, né preoccupata, quando mi ha visto, all'idea di dover trascorrere ventiquattr'ore in mia compagnia, cioè in compagnia del padre sconosciuto di un ragazzo appena conosciuto. Insomma sembrerebbe a suo agio, rapidamente ambientata tra le mie cose: in questo momento sta guardando un *suo* programma sulla *mia* televisione. Ma sono deduzioni arbitrarie, che ricavo da dati precari. Pia pronuncia solo pochi monosillabi, per giunta non indirizzati al suo unico interlocutore, che sarei io, ma a una figura invisibile che si trova un paio di metri alla mia sinistra, leggermente più in alto di me: è lì che Pia fissa lo sguardo quando – per così dire – parla.

Mi sono permesso di svegliarla a mezzogiorno bussando alla porta della tua stanza, dove l'ho sistemata in attesa del tuo arrivo e del manifestarsi delle vostre intenzioni (che per quanto ne so io, cioè niente, possono andare da un casto cameratismo al matrimonio imminente). Insieme a lei ho sistemato il suo zaino dall'aspetto bituminoso, che nessuna tintoria potrebbe trattare senza un prelavaggio con il lanciafiamme. Io nel frattempo ho già consumato quasi la metà della mia giornata: qualche bracciata in mare nella luce fresca delle otto, un po' di spesa, lettura dei giornali, qualche mail, un paio di telefonate arretrate.

Le ragioni per le quali ho svegliato Pia sono due. Una è generica, l'altra specifica.

Quella generica è che ho individuato nel mezzogiorno, e nella sua tradizionale funzione di spartiacque tra mattina e pomeriggio (mezza giornata è consumata, ma l'altra mezza intatta) una specie di orario di compromesso tra le abitudini di un cinquantenne nevrotico, che odia concedere al sonno il tempo che gli urge per vivere e dunque alle sette è già in piedi, e quelle di una diciassettenne che, in base ai parametri in mio possesso, è in grado di dormire, o comunque di stare a letto, anche oltre le due del pomeriggio. Pia, ovviamente, potrebbe anche fare eccezione: per esempio svegliarsi solo alle sette di sera, richiamata dal tintinnio dei bicchieri predisposti all'happy hour sul lungomare sottostante. Oppure non alzarsi per giorni, portando all'acme, alla catalessi, la sfida del sonno estremo – contrappasso della veglia estrema – che impegna legioni di vostri simili. Ma non avendole potuto strappare, ieri sera, alcuna indicazione circa il suo metabolismo, né a proposito di alcun altro aspetto della sua vita personale e sociale, mi sono sentito autorizzato a decidere io. Sempre contando sul fatto che in genere ogni essere umano, per esaurimento del sonno, a un certo punto della giornata apre gli occhi e si alza dal letto.

Ma è la seconda ragione, imprevista, quella che mi ha spinto a rompere gli indugi e a svegliare Pia proprio a mezzogiorno. Il tempo si sta guastando. Nuvole nere gravano sul mare, scompigliate e poi ricombinate da ventate caotiche. Lame di sole e cupori minacciosi si alternano alla vista. Pura energia nell'aria, che ha il profumo promettente dei temporali circostanti: la canicola sta finalmente per abdicare, e la mia terrazza è il palco reale da cui assistere a questo magnifico cozzo tra il sereno e il fortunale.

Insomma ho avuto l'idea, forse l'esigenza, di condividere con Pia lo spettacolo della natura. Mi è sembrata una buona scelta anche perché si tratterebbe di una comunicazione non necessariamente verbale: un breve sentirsi sotto lo stesso cielo a una stessa ora, al cospetto di qualcosa che prescinde dalle nostre evidentissime differenze. Peraltro, credo che nessun umano al mondo, di ogni landa e di ogni epoca, dal londinese che sale su un taxi al boscimano con la sua lancia, dall'uomo del Paleolitico al fisico nucleare, rimanga indifferente di fronte a questo genere di cinerama. Speravo che nel breve scampolo di tempo occupato dalla contemplazione della tempesta, sia Pia sia io ci saremmo sentiti sollevati dal peso di trovare un argomento di conversazione.

Quel peso l'ho sperimentato ieri sera nella pizzeria dove ho portato Pia appena scesa dal treno. Lei non pareva avvertirlo, divorava la sua pizza ai frutti di mare guardando la diretta estiva di uno di quei premi locali di impareggiabile tristezza, con il saluto dell'assessore e attrici cadenti che fanno da madrine ai premiati, quelle serate dove una lieta adesione alla mediocrità sembra essere di sollievo a chi partecipa così come a chi assiste.

Per via delle mie presunte responsabilità di ospite, di adulto, di tuo sia pure involontario sostituto, mi sono sentito in dovere, per qualche minuto, di dimostrare interesse per la vita di Pia, essendo impensabile che lei potesse nutrire interesse per la mia, e chiedere di me. Le ho fatto qualche domanda sulla sua scuola, la famiglia, le vacanze, la sua eventuale conoscenza del litorale toscano dove spero abbia coscienza di trovarsi, ottenendo in risposta striminziti scampoli di una vita la cui trama e il cui ordito non erano decifrabili neppure dal misterioso interlocutore due metri alla mia sinistra, leggermente più in alto, al quale lei si rivolgeva distraendo – solo a tratti – lo sguardo dal video.

Avendo avuto, nel corso della cena, parecchio tempo libero, ho potuto rivolgermi alcune domande sulle ragioni per le quali un cinquantenne si sente in obbligo di intrattenere un'adolescente appena conosciuta, e conosciuta non per scelta; mentre nessun analogo affanno, o bisogno, o desiderio, sembrava animare Pia. Ho messo in fila un non breve elenco delle ragioni che mi fanno sostenere una conversazione, anche sommaria, a tavola: buona educazione, cordialità di carattere, disponibilità nei tuoi confronti (dovevi esserci tu, non io, a mangiare una pizza con Pia guardando in televisione il Premio Grottammare o Manfredonia o Jesolo, non ricordo), curiosità per gli altri, desiderio di corrispondere alle probabili aspettative di una ragazzina che magari gradisce che una persona più vecchia, più importante, più ricca, più colta, più potente e più esperta di lei – insomma: un adulto – manifesti interesse per le sue cose.

Ma ciascuna di queste ragioni, mi rendo conto, è riconducibile a me, alla mia mentalità, alle mie convinzioni sulla decenza sociale: e tanto avanti è arrivata, negli ultimi anni, la mia progressiva cognizione di pensare e agire in funzione di un sistema di valori non oggettivo, ma tipico di un mondo vacillante e forse morente, che alla fine mi è parso che parlare di Pia a Pia potesse essere maleducato. Indelicato nei suoi confronti. Magari preferiva vedere il Premio Ponza piuttosto che concedermi porzioni così compromettenti e decisive della sua vita tipo "ho fatto la quarta scientifico", che è la frase più lunga e articolata pronunciata fin qui da Pia.

Così mi sono taciuto, ho mangiato e guardato pure io il Premio Laigueglia. Naturalmente ho pagato il conto, sola convenzione che Pia mi è sembrata condividere con tale naturalezza da non dire nemmeno grazie.

Dunque a mezzogiorno ho svegliato Pia, le ho appoggiato un caffè sul comodino (non l'ha bevuto) e ho atteso in terrazza che completasse le sue pratiche del risveglio, immaginando che subito dopo mi avrebbe raggiunto. Nel frattempo mare e cielo avevano se possibile accelerato ritmo e forza della loro ouverture, in attesa che l'acquazzone cominciasse la sua opera. Il Tirreno stava dando il meglio di sé. Le barche erano sparite alla vista, riparate in porto, il mare era una selva di schiuma, l'odore elettrico dell'aria si mescolava al salmastro nebulizzato che saliva dalle onde frante.

Pia non arrivava, non sapevo se darle una voce di richiamo sarebbe stato indiscreto. Le prime grosse gocce picchiavano sulle piastrelle della terrazza, in piedi sotto la tettoia aspettavo la tempesta e aspettavo Pia. Sono andato a chiamarla, ma appena rientrato in soggiorno l'ho trovata lì: era scivolata fuori dalla tua camera da letto, si era sdraiata sul divano e aveva acceso la televisione.

"Oggi il mare è magnifico, se ti va di vederlo..."

"Eh?"

"Il mare. Qui siamo al mare. Dalla terrazza si vede fino alla Capraia. Sta arrivando una tempesta."

"Ah."

"Preferisci stare qui?"

"C'è la nuova serie di Qualcosa." (Dice un acronimo americano tipo Pi En Iu o Ai Ti Si o Uai En Ti.)

Non le chiedo di ripetere, mi accontento di capire che Qualcosa deve piacerle molto perché per compitarne il nome non stacca lo sguardo dal plasma mancando di rispetto, stavolta, non solo a me, ma anche all'entità due metri alla mia sinistra, leggermente più in alto. Ne deduco che Qualcosa le piace addirittura di più del Premio Ansedonia.

Torno in terrazza. La scena, cinematograficamente inquadrata, sarebbe questa: in una giornata di speciale magnificenza degli elementi, di quelle che fecero dire a Benedetto Spinoza "*Deus sive natura*", un adulto contempla il mare da una terrazza, appoggiato al muro esterno di un appartamento. Dall'altra parte del muro, lontana mezzo metro appena, nel soggiorno dell'appartamento, una ragazzina guarda la televisione. I due si danno le spalle, dandole entrambi al muro che li separa, rivolti l'uno al mare, l'altra alla televisione. Della ragazzina non sappiamo se questa separazione totale tra le due attitudini, e i due campi visivi, produca in lei una qualche ansia, o domanda: quasi sicuramente non ne ha percezione, la vive con naturale indifferenza.

Dell'adulto sappiamo qualcosa di più. Vorrebbe – più di quanto sia disposto ad ammettere – stabilire un qualche rapporto con la ragazzina. Non perché *questa* ragazzina gli interessi particolarmente. Ma perché l'uomo, da qualche tempo, sperimenta la sua incapacità di stabilire nessi (di qualunque genere) con i ragazzi come Pia, e come te. Non sa – non capisce – se questo muro invisibile sia la semplice riedizione dell'eterno conflitto tra genitori e figli, tra adulti e ragazzi. Oppure se qualcosa di inedito, di sconosciuto, di mutageno (non necessariamente qualcosa di *brutto*. Dico qualcosa di irreparabilmente *diverso*) stia separando per sempre i pensieri e gli atti delle ultime leve dell'umanità – voi – da tutto ciò che li ha preceduti.

Delle due ipotesi, naturalmente, la prima è molto più confortante. È un nodo che si scioglie da solo, con il procedere delle generazioni, mano a mano che Pia cresce e invecchia e si ritrova a generare nuove Pie e dunque nuove distanze, nuove incomprensioni. Siamo all'iterazione del già noto e del già accaduto.

E se invece fosse vera la seconda ipotesi? Se cioè un qualche radicale cambiamento nell'assetto neuronale avesse prodotto non un normale avvicendarsi di culture e di mode e di pensieri, ma una separazione definitiva tra il passato e il futuro degli umani?

Guardo i miei vasi di portulache, affacciati sul mare e schiaffeggiati dal vento e dalle gocce ormai fitte. Il più futile dei pensieri – chi curerà questa terrazza quando non ci sarò più? – è anche il più lacerante. Mia nonna, poi mio padre curarono questi vasi. La cura del mondo è un'abitudine che si eredita. A dieci anni riempivo l'annaffiatoio per mio padre, e la facilità con la quale lui maneggiava con una sola mano quei dieci litri d'acqua che io gli porgevo con fatica e impaccio mi pareva il traguardo della mia infanzia. Ora che maneggio con la stessa destrezza quei dieci litri, e sono dunque adulto, mi rendo conto che nessuno mi porge l'annaffiatoio. Una catena è spezzata – ne sono l'ultimo anello. Non c'è dubbio. Sono l'ultimo anello.

Di quale nuova catena tu e Pia siete l'anello?

Il temporale sferza la costa, il lungomare, la casa. Grande frastuono – chicchi di grandine rinforzano la tempesta di fine estate. Sentirà, Pia, almeno il rumore della stagione che fugge?

Quando ti vedo così pallido, penso che ti farebbe molto bene venire con me al Colle della Nasca. So che non ti piace camminare, ma guarda che è solo un pregiudizio. Camminare è una guarigione. Un'esperienza di salvezza. Mi devi credere.

6.

Al colloquio con i professori la madre che mi precede è una signora alta e pallida che parla fitto fitto e a voce abbastanza forte, va avanti da venti minuti buoni e si sta lamentando che il figlio non riesce a concentrarsi nello studio, e non è che lo faccia apposta a non concentrarsi, anzi, lui glielo dice proprio, mamma non riesco a concentrarmi, e questo vuol dire che ha individuato perfettamente il problema, che non riesce a concentrarsi, e la madre lo ha capito che davvero non è per cattiva volontà, perché se fosse per cattiva volontà non gli importerebbe niente di non riuscire a concentrarsi, anzi non lo direbbe nemmeno, e invece si lamenta continuamente di questa cosa, che non riesce a concentrarsi, per lui non riuscire a concentrarsi è veramente un cruccio, in effetti lo sa benissimo anche lui che se avesse impiegato a concentrarsi sui libri tutto il tempo che impiega a cercare inutilmente di concentrarsi, o a spiegare alla madre che proprio non gli riesce di concentrarsi, il problema sarebbe già risolto, d'altra parte lei, la madre, non sa come aiutarlo, quando è al lavoro ovviamente non è in casa e quando è in casa ha tanto da lavorare in casa, non ha il tempo di aiutare il figlio a concentrarsi nello studio, e anche se lo avesse non saprebbe da che parte cominciare, magari esistono delle tecniche per concentrarsi, ma ha dimenticato di chiederlo al professore che lo ha visitato per la dislessia, il figlio non è dislessico ma a volte nei test la dislessia sfugge e sarebbe meglio rifare la visita ogni anno, perché è incredibile come progredisce velocemente la diagnostica, oggi si scoprono forme di dislessia che ieri neanche si potevano immaginare, è un po' come per le intolleranze alimentari che non si ha idea di quante persone ne sono afflitte e neanche lo sospettano, per esempio il figlio di una sua amica è stato certificato dislessico dopo anni che nessuno ci credeva che era dislessico, a parte la madre, ma si sa, le madri hanno uno sguardo speciale, e la dottoressa, una dottoressa bravissima, se n'è accorta perché il ragazzo sottolineava i libri con il pennarello nero facendo una linea così storta che molte parole risultavano cancellate, poi tra l'altro aveva difficoltà a rileggere, già uno è dislessico, poi gli tocca anche studiare su un libro mezzo cancellato, tra l'altro cancellato con le sue mani e dunque senza nemmeno la possibilità di prendersela con qualcun altro, si può immaginare il problema, anzi i due problemi che si sommano, pare che esista un nesso tra l'incapacità di tirare le righe diritte e la dislessia, anche se non tutte le dislessie, solo alcune, certo che una volta a scuola facevano un sacco di storie per la brutta calligrafia, le macchie, i quaderni in disordine, e neanche sapevano di tutti gli aspetti psicologici annessi e connessi e di quante patologie dell'apprendimento ci sono al mondo, sai quante punizioni inutili e stupide si sarebbero evitate, certo questi ragazzi andrebbero seguiti di più, ma chi ne ha il tempo, noi del resto, quando si andava a scuola, chi ci seguiva?...

...e mentre pronuncia la breve frase "chi ci seguiva?" mi illudo di indovinare nel flusso monocorde della sua voce come un trasalimento, un inceppo prodotto dal dubbio, effettivamente cara signora a noi non ci seguiva nessuno ma non è che ci siamo impiccati a un trave. Chi più chi meno, anche i dislessici inconsapevoli, anche i patologici non certificati, anche gli intolleranti al cetriolo o al pane di segale, abbiamo trascinato la carretta fino alla maturità o al diploma, e dunque per un attimo spero che la madre, rendendo conto a se stessa del fatto che non ci seguiva nessuno – beati noi –, sia sfiorata, almeno sfiorata, dal sospetto che l'unico vero problema del figlio è avere una rompicoglioni siffatta che lo segue, lo asfissia, lo giustifica, lo soffoca, gli fa da alibi, lo assolve, e mentre la sua voce alta di volume ma piatta di tono, vuotamente assertiva, seguita ad affastellare alla rinfusa considerazioni di nessuna congruenza scientifica o logica, ma tutte perfettamente ancorate solo alla sua ossessione protettiva, vedo la professoressa impietrita che annuisce con il viso ma con la testa – per mettersi in salvo – è certamente altrove, ai compiti da correggere o agli impegni pomeridiani o alle sue beghe private, qualunque cosa pur di evadere almeno con il pensiero da quel confessionale insano, dove genitori spaventati o spiazzati o ignorati riciclano la loro impotenza in una ciarla mortifera, che trova un capo e una coda solo nel loro terrore di non essere abbastanza Madre e Padre, non certo nella vita reale del figlio che magari in questo momento si starà confezionando una canna con grande destrezza, concentratissimo, nella Panda usata di un suo amico ripetente.

Ma no, la voce della madre non ce l'ha, quel trasalimento salvifico, la nenia verbosa ha subito ripreso il sopravvento e sta trascinando verso nuovi vortici – non più la dislessia, ora il padre assente che è farmacista ma non lo aiuta in chimica – la povera professoressa inerte, che adesso pare una di quelle automobili che si vedono nei telegiornali travolte dalla piena del fiume e menate dove da sole mai sarebbero andate a ficcarsi. La voce della madre, fin dall'inizio, è di parecchi decibel superiore alla soglia della discrezione, in compenso il tono è così monocorde che lo si potrebbe trascrivere su un solo rigo del pentagramma, pagine e pagine di lalalalalalalalalalalalalalala senza pause né a capo, il fiato che tenta di emergere come un cane che annega, io che purtroppo non posso non ascoltare anche se mi sono tirato indietro di qualche passo fino a incappare nella seconda madre, il prototipo della depressa sotto farmaci, che per fortuna non dovrò ascoltare perché quando darà la stura alla sua impotenza io starò già infilando la chiave nel cruscotto della macchina per fuggire via.

Quanto a me, in queste contingenze (frequenti) che schiudono porte e finestre su certi abissi di indolenza filiale, e di stordita complicità materna o paterna, non è che me ne senta al riparo, non è che mi senta migliore. Riconosco nelle mie fughe, nei miei silenzi, la stessa mancanza di autorevolezza, la stessa inconsistenza. E il gaglioffo reazionario che abita certi recessi della mia psiche, vedendomi indifeso, prende voce con il solito aneddoto del padre di Giorgio Amendola che andava una volta all'anno dai professori del figlio solo per dire "guardi che mio figlio è un cretino, lo bocci senza pensarci un attimo". E magari Giorgio Amendola era un dislessico ante-diagnosi, poverello, o intollerante alle barbabietole. Oppure viene fuori il vecchio iracondo che sull'autobus battibecca con un drappello di brufolosi stravaccati e sbotta in quel grande classico del Pensiero Reazionario che è "ci vorrebbe una bella guerra ogni paio di generazioni, per raddrizzarvi", ah già, la guerra lavacro del mondo, selezione dei forti e lezione per i deboli, la guerra che bussa a tutte le porte e anzi le sfonda, e fa certi botti che tremano i muri, e fai un salto sulla sedia gridando di spavento anche se hai le orecchie tappate dalle cuffiette e stai ascoltando in mutande, sdraiato come sempre, le tue musichette. Nelle tue cuffiette. Almeno la guerra, almeno quella, riuscirebbe a trovare un varco nella tua vita di ovatta...

Potrebbe anche andarmi bene, sapete, soprattutto in certi giorni, soprattutto davanti a certi bivacchi di oligofrenici diciottenni, l'idea che una bella guerra ogni paio di generazioni (a patto di non saltare proprio questa) troverebbe il modo, lei sì, di cambiare la scena. A patto che insieme ai ragazzi, e con le stesse precise opportunità di crepare, partano per il fronte anche i vecchi maiali che le guerre le preparano e le dichiarano. (A questo proposito penso che meriti un'alta valutazione sotto il profilo etico il coraggioso impianto del mio grande romanzo inedito, *La Grande Guerra Finale*, quella tra Vecchi e Giovani, nel quale vedrò di far morire parecchi Vecchi in più, in proporzione al loro numero eccedente.)

E mentre la madre pazza sta arrivando all'epilogo (sospetta nel figlio, dislessia a parte, anche un paio di irreparabili traumi patiti nella prima infanzia), finalmente riesco a distrarmi e ad abbozzare mentalmente, tra me e me, un capitolo decisivo della mia epopea bellica, quello sull'insonnia come arma fondamentale dell'armata dei Vecchi, meno energie, meno muscoli, meno adrenalina da mettere in campo, ma una soverchiante disponibilità di tempo. Mentre i Giovani dormono – e non possono farne a meno – i Vecchi programmano marce antelucane, a passo lento ma inesorabile. Tartarughe che fottono le lepri.

Così quando tocca finalmente a me sono distratto, sto scrivendo mentalmente almeno l'incipit del capitolo sull'insonnia come arma finale dei Vecchi, e la professoressa deve ripetermi due o tre volte "si accomodi" mentre la madre pazza (oddio, pazza... diciamo mediamente rappresentativa della pazzia dei suoi e nostri tempi, compresa la mia) si è dissolta come un peto al vento. La prof mi guarda e non capisce se sono lì per caso o se ero in coda, la seconda madre alle mie spalle mi sfiora un braccio, "guardi che tocca a lei", mi scuoto, sorrido, mi piacerebbe dire "sono il padre di Giorgio Amendola e sono venuto a dirle che deve bocciarli tutti, specialmente il protozoo che non riesce a concentrarsi e la cui madre ci ha appena propinato la sua gnagnera vile", invece dico "sono il padre di Tizio, buongiorno", e come tutte, come tutti, mi imbarco in una vaga chiacchierata a proposito di una persona, mio figlio, che entrambi conosciamo poco e male, e il cui destino sfugge giorno dopo giorno dalle nostre mani, ovviamente, perché così è la vita.

Se non vieni con me al Colle della Nasca non fai un dispetto a me. Lo fai a te stesso.

Dai, vieni con me al Colle della Nasca. Partiamo venerdì mattina e sabato sera sei di nuovo a casa per uscire con i tuoi amici. Te lo chiedo per piacere. Non farlo per me. Fallo per te.

7.

Da Carla, a vendemmiare il Nebbiolo, eravamo in sette meno due. Cinque adulti, tutti sopra i cinquant'anni. Più tu e tuo cugino Pedro: i meno due.

Era una giornata di fine settembre di quelle che salvano la vita. Poco dopo l'alba le brume notturne si inabissavano verso valle, come se la terra se le rimangiasse. Una chiara luce azzurra allagava il resto del mondo, dalla Langa fino alle Alpi. Il confine tra la terra e il cielo aveva un profilo così netto che potevi frugarne con gli occhi anche i minimi dettagli, cascine su crinali lontani, automobili su tornanti di altre province, alberi e tetti che uscivano dal buio per affacciarsi al primo sole.

Bellissimo.

Noi adulti eravamo già in piedi con il caffè in mano, tutti e cinque a guardare la giornata che ci stregava con la sua luce nascente. Svegliarsi così presto non era indispensabile, per vendemmiare mezzo ettaro di vigna non ci vuole troppo tempo. Ma a tirarci giù dal letto era stata la contagiosa attesa di quel giorno speciale, che è rituale e comunitario da secoli, e lega le persone tra loro, alla terra e allo scorrere delle stagioni. E aprendo gli scuri, chi prima chi dopo, vedendo le stelle sfumare e un radioso sereno svelarsi, ci aveva preso l'euforia, e da una stanza all'altra ci si dava voce che era ora di cominciare.

Venendo in macchina, il pomeriggio prima, avevo cercato di spiegarvelo, a te e a Pedro, che il giorno della vendemmia non è un giorno come gli altri, e andare a farla in Langa è un privilegio vero, come sentire il *Rigoletto* in loggione al Regio di Parma, o mangiare frutti di mare in Bretagna, o comprare un cappello da donna a Parigi, o vedere la prima di un musical a Broadway. Un vero cogliere il succo. Uscendo dall'autostrada e prendendo quota tra i noccioleti e le vigne, sbirciavo nel retrovisore per capire se voi due, seduti dietro, foste colpiti dal mutamento del paesaggio, e interessati a come gli uomini avevano regolato le cose, da quelle parti. Ma avevate gli occhi, ciascuno dei due, ficcati dentro il proprio video, credo per chattare con altri della vostra genìa, e quanto scorreva fuori dai finestrini, fosse anche la Grande Muraglia, il deserto rosso di Marte, un assalto di cavalleggeri, vi era del tutto indifferente. Né – mi rendo conto – la lezioncina dell'adulto di turno, per quanto schermata da qualche battuta per sembrare il meno ufficiale possibile, avrebbe potuto scalfire il vostro autismo.

La sera della vigilia mi aveva dato qualche illusione. La tavola, da Carla e Gildo, è calda e generosa, e per un buon tratto della cena mi era sembrato che tu e tuo cugino foste coinvolti, parte della comunità. Arrivati alla crostata di sambuco e al Barolo chinato, al termine di una memorabile sequenza di rossi, eravate già spariti in qualche stanza ad armeggiare con le vostre ricetrasmittenti di decima o undicesima generazione, le tavolette tascabili che legano ovunque e sempre ognuno a tutti gli altri e dunque sostanzialmente a se stesso (non essendo "tutti gli altri" concepibili e maneggiabili come se davvero esistessero). Però mi era parso che la straordinaria permanenza a tavola – quasi due ore contro i tre minuti ordinari – fosse, da parte vostra, non solo un segno di gradimento del convivio, ma anche di affiliazione al gruppo. Cioè: eravate venuti anche voi due – incredibile ma vero – a fare la stessa cosa che facevamo noi adulti, vendemmiare.

I patti, sugli orari del giorno dopo, erano rimasti nel vago. Non una sveglia precisa, ma insomma un generico appello a non dormire troppo a lungo, e dunque a non spegnere la luce troppo tardi. Quell'appello non era nelle parole. Era nelle cose, o almeno così pareva a tutti: tanto che di parole se ne spesero pochissime, se non un mio richiamo, intorno a mezzanotte, a non fare troppo tardi, bussando alla porta tua e di Pedro.

Adesso capisco che il grande equivoco era pensare che il risveglio precoce, e il ritmo della giornata seguente, fossero "nelle cose". Queste "cose" sono evidenti a chi le vive fortemente, nella realtà ha messo radici, dalla realtà trae ragione per vivere. Quasi tutte le cose, per me, per Carla e Gildo, per gli altri due amici venuti a vendemmiare, sono "nelle cose".

Ma per voi?

Chi ha detto che l'ordine dei piaceri e dei doveri debba essere uguale per tutti, e per sempre? Chi l'ha stabilito? A me pare che la bellezza della vendemmia, e tanti, tanti altri generi di bellezza, siano oggettivi. Strappati alla fame, agli stenti e alla morte, messi a punto nelle migliaia di anni e nelle centinaia di generazioni. I mestieri, le tecniche, le conoscenze accumulate e trasmesse. Quel luogo del mondo. Quel giorno dell'anno. Quel ritmo, quelle gerarchie dei gesti. Quelle persone; ma che sono lì anche in memoria delle migliaia di altre persone che le hanno precedute tra quei filari, sopra quella terra.

Ma tu e Pedro attingete da altre fonti le vostre emozioni. Non so se per ora o per sempre, se nei vostri diciotto anni o per la vita, ma così è. E certo, qualcosa di altrettanto separato (separato dagli adulti) lo ricordo bene anche nei miei sedici e diciotto anni. Ma non altrettanto. Decisamente: non altrettanto. Scrutavo il mondo adulto come un regno da espugnare. Emularli per poi detronizzarli, un giorno: ma il trono da espugnare era lo stesso sul quale sedevano loro. Le stesse città, le stesse case, le stesse stanze, gli stessi viaggi da ripercorrere però meglio di loro, con più agio e padronanza, più libertà, meno pregiudizi. La mia curiosità onnivora mi suggeriva di aguzzare la vista e allertare i sensi in ciascuna delle occasioni nelle quali sentivo che gli adulti erano in speciale tensione, per il timore di perdere un'esperienza. Se li sentivo dire "bellissimo!" cercavo di cogliere e di cogliere in fretta, o per rifiutare o per assumere, per fare mio o per lasciare a loro. La paura era di mancare l'occasione, di perdere il biglietto d'ingresso.

Certo non mi convincevano facilmente. Non lasciarmi sedurre era ragione di orgoglio. Volevo decidere io che cosa davvero sarebbe stato "bellissimo", per me e per la mia vita. Ma dalla vita degli adulti – e ben più che dalle loro parole da come vivevano, cosa facevano, che odore avevano i loro vestiti, i loro mobili, le loro case – mi lasciavo penetrare ogni giorno, perché provarne disgusto o attrazione era ciò che mi formava, mi svelava a me stesso. Non ero né più docile né più sensibile né più intelligente di te. Ma appartenevo a un'epoca – l'ultima? – nella quale il conflitto tra Giovani e Vecchi avveniva sul medesimo campo di battaglia. Ora ho il sentore – il sospetto? il terrore? – di una mutazione così radicale che difficilmente, un giorno, potremo riconoscerci, tu e io, nello stesso piacere. Non so cosa darei per potermi sedere con te, in un momento qualunque della nostra vita, davanti allo stesso paesaggio, e condividerne in silenzio la forma e l'ordine.

So che non hai la stessa ansia. Non è con me, ovviamente, che vuoi condividere il paesaggio. Quasi ogni genitore, credo, ha sofferto la difficoltà di condividere con i figli qualcosa di meno ovvio del mantenimento economico, della protezione adulta. Ma tornerai mai per tuo conto, nella tua vita, con una donna, un amico, qualcuno, in Langa a fine settembre? Voglio dire: nascosto dietro il tuo muro, e guardandoti bene dal farmelo capire, tu cogli almeno qualcosa, della mia vita? Ma poi: come farti capire che non è la *mia* vita, ma è la vita degli uomini quella della quale io sono un così impacciato testimone?

E comunque vennero prima le nove e poi le dieci, e noi raccoglievamo i grappoli e riempivamo le cassette, parlando e scherzando. Ma con il passare del tempo, e con il crescere della fatica e del raccolto, saliva sempre più percettibile un filo di imbarazzo causato dalla vostra assenza. Di quell'imbarazzo mi sentivo il terminale: perché non vi avevo svegliati? Perché, quando appena dopo le dieci ero salito a chiamarvi, di fronte al vostro grugnito comatoso non avevo insistito? Perché non tornavo a tirarvi giù dal letto?

Da argomento sottotraccia, il vostro sonno perdurante divenne, verso mezzogiorno, dibattito esplicito. Disse Carla di avervi sentito parlare e ridere, nella vostra stanza, a notte fonda, e chissà a che ora vi eravate addormentati. Gildo la buttò in cabaret suggerendo i diversi sistemi per svegliare le reclute, dalla secchiata d'acqua all'urlaccio nell'orecchio. Si addensò in mezzo ai filari, dapprima ilare poi sempre meno indulgente, il sentimento del rimprovero, animando una sequela di considerazioni mezzo severe, mezzo sconsolate. Forse se li paghiamo, forse all'ora di pranzo agitandogli il ragù sotto il naso, forse bastonandoli con un randello, forse assumendo come precettore un reduce della Legione straniera, forse pregandoli in ginocchio, forse via internet, forse in nessun modo, tanto farebbero cadere i grappoli nell'unico buco di Langa e verrebbe il primo Nebbiolo di fossa della storia.

Fino a che Stefano, il vicino di casa di Carla e Gildo, il più anziano del gruppo, disse quella cosa precisa e inesorabile, così inesorabile che ancora me la ricordo – ricordo il suo tono di voce pacato, il silenzio che seguì la frase, la conversazione che poi riprese cambiando bruscamente argomento:

"Certo che un mondo dove i vecchi lavorano e i giovani dormono, prima non si era mai visto".

Prima non si era mai visto. Ci ho pensato a lungo, nei giorni seguenti. Non ha detto, Stefano, che era giusto o sbagliato, morale o immorale. Ha detto che *non si era mai visto*, e credo sia perfettamente vero. Possiamo pensare, di te, di Pedro, del vostro sonno diurno nel pieno di un giorno speciale per tutti, ciò che vogliamo, che sia la più imperdonabile delle mancanze, oppure che sia il segno di una nuova e geniale maniera di vivere. Ma non c'è dubbio che "un mondo dove i vecchi lavorano e i giovani dormono" non si era mai visto; e che questo sonno ostinato, pregiudiziale, del tutto indipendente da quanto vi circonda, per giunta pagato dal lavoro altrui (il lavoro *dei vecchi*), sia un inedito. Una cosa mai vista. Un meccanismo sconosciuto che muta e complica gli ingranaggi della macchina del tempo.

Quando verso le due siete scesi ci avete trovati intorno al tavolo del porticato, con vino, salame e qualche resto della sera prima. Salutati da un coro beffardo, ma tutto sommato affettuoso. Solo quando Pedro ha chiesto se poteva fare colazione, il tono affettuoso ha necessariamente ceduto il passo a una dichiarazione ufficiale di Carla. La padrona di casa ha risposto a Pedro – posso davvero dire: a nome di noi tutti – che in quella casa, a quell'ora, non si fa colazione ma si sta finendo di pranzare. Io che sono l'anello debole stavo già per farvi un caffè. Carla mi ha fulminato con lo sguardo.

"Se volete mangiare un boccone, eccolo. Il caffè dopo. Il caffè si prende dopo pranzo."

Se vieni con me al Colle della Nasca, ti pago. Un tanto al chilometro, o un tanto per ogni ora di cammino, ci mettiamo d'accordo, non è quello il problema. Quanti soldi vorresti, euro più euro meno, per venire con me al Colle della Nasca? Contanti? Un assegno? Un bonifico?

8.

Eri sdraiato sul divano, dentro un accrocco spiegazzato di cuscini e briciole. Annoto con zelo scientifico, e nessun ricamo letterario. Sopra la pancia tenevi appoggiato il computer acceso. Con la mano destra digitavi qualcosa sullo smartphone. La sinistra, semi-inerte, reggeva con due dita, per un lembo, un lacero testo di chimica, a evitare che sprofondasse per sempre nella tenebrosa intercapedine tra lo schienale e i cuscini, laddove una volta ritrovai anche un würstel crudo, uno dei tuoi alimenti prediletti. La televisione era accesa, a volume altissimo, su una serie americana nella quale due fratelli obesi, con un lessico rudimentale, spiegavano come si bonifica una villetta dai ratti. Alle orecchie tenevi le cuffiette, collegate all'iPod occultato in qualche anfratto: è possibile, dunque, che tu stessi anche ascoltando musica.

Non essendo quadrumane, non eri in grado di utilizzare i piedi per altre connessioni; ma si capiva che le tue enormi estremità, abbandonate sul bracciolo, erano un evidente banco di prova per un tuo coetaneo californiano che troverà il modo di trasformare i tuoi alluci in antenne, diventando lui miliardario in poche settimane, e tu uno dei suoi milioni di cavie solventi.

Volendo tentare, nella pur precaria forma della parola

scritta, una ricostruzione sommaria di quanto stava accadendo nel tuo cerebro, e un breve resoconto delle tue attività ricetrasmittenti, sarebbe venuto fuori qualcosa di molto simile a questo:

"*Avevo detto a Slim di guardare prima di tutto nei condotti di aerazione* / STASE DA KIBBE VA BENE? / il gruppo funzionale amminico e carbossilico degli amminoacidi / NO KIBBE STASE NON PUÒ / *cazzo qui ce n'è uno grande come un bisonte!* / **Apprendista dell'impero, apripista rap emporio** / *Guarda che buco ha fatto nella grata!* Essenziali nell'alimentazione umana / *Cazzo, Slim, neanche un alligatore farebbe un buco così!* / **Escogito come uscire dalla merda, scatologico** / FANKULO A KIBBE, ALLORA / Qualora non sia sintetizzabile a sufficienza dagli organismi vertebrati / **Non mi fermo mai, chiamatemi vento, rimo invento** / *È più intelligente di te! Se fai tutto quel casino, lui scappa!*".

Eccetera.

Devo essere rimasto lì a guardarti un minuto buono. Cercando un capo e una coda in quel groviglio iperconnesso. A un certo punto ti sei accorto della mia presenza. Non ti sei voltato, hai mantenuto occhi e orecchie sui tuoi terminali e hai continuato a digitare. Ma hai sentito il bisogno di dirmi qualcosa, o meglio di biascicarmelo perché non potevi o non volevi sollevare più dello stretto indispensabile la mandibola accasciata sul petto. E di questo qualcosa ti sono stato grato: primo perché mi hai rivolto la parola, secondo perché hai diradato almeno per qualche giorno i miei presagi sull'inarrestabile degrado dell'umanità.

Mi hai detto: "È l'evoluzione della specie".

Penso che tu avessi ragione. Di quale specie, però, al momento attuale ancora non abbiamo contezza.

La cosa pazzesca è che nella verifica di chimica hai preso sette. Il voto perfetto, secondo me. Sei è risicato, otto è da secchione.

9.

Un po' di tempo fa mi ferma per la strada un tale. Sulla trentina, tozzo, muscoloso, con i capelli corti ossigenati, lampadato, canotta nera sbracciatissima e jeans a fior di pelle. Deve avere appena parcheggiato dietro l'angolo una di quelle moto americane che hanno il sellone rasoterra e fanno il rumore di un peschereccio.

"Lei non mi conosce," dice, "ma io conosco lei. Sono il tatuatore di suo figlio."

"Buongiorno," gli dico, e per fortuna hanno inventato il saluto, che nella sua riposante genericità consente di prendere tempo, riaversi dalla sorpresa, organizzare un'eventuale difesa. Le convenzioni sociali – attraverso i secoli e le generazioni – hanno più o meno stabilito come ci si rapporta al ginecologo della moglie, al pedicure della mamma, al coiffeur della sorella; non ancora al tatuatore del figlio.

Spetterebbe a lui, adesso, riprendere la parola, ma non lo fa. Mi fissa con un sorriso impacciato, forse anche con qualche soggezione. La sua esitazione, in totale contrasto con la complessione taurina, ha qualcosa di femminile, quasi di virgineo. Ho il tempo di intuire che, non fosse così abbronzato, si vedrebbe il rossore sulle sue ganasce.

Lo osservo meglio, noto un orecchino di corallo, il catenone d'oro al collo. E due occhi piccoli, azzurri, risplendenti, che sono gli incontrastati protagonisti del suo volto, anzi della sua intera persona, e occupano guizzanti il nostro breve silenzio. È con i suoi occhi che capisco di avere a che fare.

"Mio figlio è maggiorenne e può decidere quello che vuole," gli dico puntando a uno scioglimento burocratico del nostro incontro, come se si trattasse di giustificarci entrambi del dragone (bruttino) comparso da un paio di mesi sull'avambraccio sinistro di un diciottenne.

Pare sorpreso, forse deluso, punta lo sguardo chiarissimo a terra come per celare contrarietà, rimango male pure io per quello che ho appena detto, l'equivalente di "sono affari vostri, tuoi e di mio figlio, non voglio avere niente a che fare con questa deplorevole scemenza".

Risolleva lo sguardo, mi rivolge un sorriso aperto, che interpreto come il generoso tentativo, perfettamente riuscito, di levarmi dall'imbarazzo di avere appena detto una cosa meschina, formale, non all'altezza.

"Lei deve parlare di più con suo figlio," dice d'un fiato.

Non me lo aspettavo. Domino l'istinto di irrigidirmi. Di respingere un colpo così fuori misura, il cui latore, per giunta, non ha la foggia e l'abbigliamento più adatti a fare breccia nella mia diffidenza. Mi escono, dopo un sospiro profondo, poche parole.

"Guardi che è mio figlio che non parla con me," gli dico, cercando di non entrare troppo nel merito, e di mantenere un tono cortese, non troppo sbrigativo, brevi cenni sulle difficoltà logistiche di un padre divorziato.

Non sembra soddisfatto. Incrocia le braccia (faticando, per il gonfiore di bicipiti e pettorali, a chiudere la stretta) e si sistema meglio sulle gambe, allargandole leggermente. Mi è inevitabile considerare che in quella posizione l'apparato genitale, strizzato nei jeans, è in vistoso rilievo. Lui diventa tozzissimo, mi rendo conto che è più basso di quanto mi era sembrato. Ora mi fronteggia. La nuova postura, platealmente statica, lascia capire che la conversazione non è affatto conclusa.

"Dice suo figlio che lei odia i tatuaggi."

"Non è che li odio, è che quando uno invecchia e la pelle si rilascia, il tatuaggio non regge più, e collassa. È una moda che non considera l'azione del tempo. Non si può fare finta di rimanere *forever young*."

La citazione rock gli piace. Mi sono accorto (i suoi occhi sono parlanti) che gli era piaciuto anche il verbo "collassare". Pure se nella critica, o proprio attraverso la critica, si sente preso in considerazione. E la sua replica mi lascia di stucco.

"Anche gli affreschi, sa, e i dipinti a olio, i mosaici, perfino le statue alla lunga si rovinano. È un arco di tempo diverso, molto più ampio, ma tutte le cose fatte dall'uomo sono destinate a deperire, e a sparire. Il tatuaggio è bello perché muore insieme al corpo. L'opera e il corpo umano sono la stessa cosa. E non bisogna neanche scomodare i musei, basta la cremazione ad archiviare la pratica..."

Acquistando sicurezza mentre parla, mi sembra che anche la sua slabbrata cadenza padana si attenui, in favore di una pronuncia quasi italiana. Adesso sorrido anche io, gli sono improvvisamente grato di avere dissolto la mia rigidità nei suoi confronti. Gli faccio un paio di domande generiche sul suo mestiere, cose tecniche, mi risponde a tono, contento, parliamo di pennini e di inchiostri, siamo al confine tra la bottega artigiana e il colorificio, ora è diventata una conversazione di strada piuttosto sciolta, come ce ne sono tante.

"Comunque," dice a un tratto, e si sente che quel "comunque" fa da cesura tra la piega amena che ha preso la chiacchierata e una conclusione più impegnativa, "comunque suo figlio, sui tatuaggi, dice la cosa giusta. E scommetto che lei non la sa."

"No che non la so," rispondo. "Me lo dica lei, che cosa dice mio figlio sui tatuaggi."

“Dice che non sarà un problema invecchiare e vedere il tatuaggio che smolla. Perché tutti i tatuati invecchieranno insieme, e tutti i vecchi, tra un poco di anni, saranno tatuati. E tutti i tatuaggi smolleranno in contemporanea, in tutto il mondo.”

“Non ci avevo mai pensato,” gli rispondo. Ed è proprio vero, che non ci avevo mai pensato. E nel pensiero immutato che i tatuaggi, in qualunque modo si riesca a girare la questione, mi faranno sempre schifo, fa breccia la consolante immagine del tatuato riflessivo, non in balìa del primitivo istinto di segnarsi il corpo, come il maschio tribale, o come il metallaro rintontolito dalle birre, ma come il body-artist che fa di se stesso e della sua confraternita di istoriati i testimoni della caducità del corpo, della sua preziosa fragilità...

Lui mi prende la mano, la stringe in una morsa da portuale, avvicina appena il suo volto al mio, come per sottolineare la confidenza conquistata, e ripete:

“Lei deve parlare di più con suo figlio”.

Gira i tacchi e si allontana. Noto gli stivaletti beige. Sulla nuca ha un piccolo tatuaggio, ma non faccio in tempo a capirne i contorni che è già sparito in mezzo alla folla del sabato.

È stata finalmente decifrata l'antichissima Stele di Hutta, rinvenuta tra le pietre e i licheni della remotissima Valle di Haux. Risale a settemila anni fa. Contiene una profezia. Dice testualmente: "Tra settemila anni l'umanità sarà dannata e rischierà di scomparire tutta intera, uomini, donne, bambini. A meno che un giovane eroe e il suo vecchio padre salgano insieme sul Colle della Nasca".

10.

Sono stato da Polan&Doompy. Volevo capire perché tu e la tua amica Pilly sabato scorso avete fatto una coda di tre ore per entrare in un negozio di felpe. Chiedo che sia messo agli atti: una coda di tre ore per entrare in un negozio di felpe. (In tre ore, camminando in montagna, si cambia vallata.) L'età degli umani in coda davanti a Polan&Doompy, ambosessi, era compresa tra i dodici e i venti. Una massa impressionante e docile di carne fresca, ben nutrita, ben curata, che avrebbe fatto la gioia di un mercante di schiavi, di un reclutatore di soldati, del capo del personale di una catena di bordelli dotata di un rilevante reparto pedofili.

Mi sono documentato. La tua fila, e quelle che sono venute prima, e quelle che verranno dopo, sono state preparate da un lungo e partecipato periodo di avvento – ovviamente on line – che ha preceduto, per mesi, il vero e proprio incarnarsi tra noi del dio delle Felpe. Un passaparola di massa, migliaia di increduli piccoli fedeli ai quali non pareva vero che questo negozio famosissimo di New York potesse *veramente* sustanziarsi proprio qui, in Italia, a Milano. Come se ci dicessero che Venere eccezionalmente nasce non dalle spume del greco mar, ma ad Arma di Taggia e possiamo guardarle le tette seduti al nostro solito chiosco; o che Buddha è stato visto meditare seduto nel mezzo di una rotatoria a Lissone, e gli increduli potevano contargli da pochi metri le pieghe della pancia, e passarsi la voce, "correte, correte, c'è Buddha a Lissone, è una figata mai vista!". Come se l'imperatore Tito o un suo collega ugualmente generoso e immaginifico, colto da raptus decentratore, avesse deciso di erigere non a Roma, ma in Bitinia o in Tracia, tra quei burini di confine, un quartierino preciso identico ai Fori Imperiali, praticamente i Fori Imperiali stessi, anzi ancora più grandiosi e lustri; e tutti a domandarsi, i burini: "ma noi saremo degni? Saremo all'altezza? Possibile che proprio a noi sia toccata una grazia del genere?".

I protagonisti del rito dell'avvento si chiamano (trascrivo fedelmente dal web) Maggie, Stelly, Niko, Neffy, Frankie, Riko, Toffy, Paffy, Wally, Tinky, Lillo, Pussy, Lemmy, Preppy, Benny, addirittura Uolly. Parrebbe in vigore, tra i felpomani, una specie di obbligo morale ad avere un nickname di due sole sillabe, non una di più non una di meno, come se ci fosse una metrica naturale, per chiamarsi l'uno con l'altro, che se uno all'improvviso la infrange tutto il web ammutolisce, sgomento, incredulo, e per un po' nessuno ha il coraggio di dire niente fino a che il più severo oppure il più comprensivo rompe il silenzio e chiede: "Ma *veramente* tu ti chiami Pierfrancesco?".

Peraltro, anche i pochissimi oppositori della discesa di Polan&Doompy in Italia (si firmano Pikkio e Spinky: ecco che il bisillabo, tra gli anticonformisti, si fa spiritoso, leggermente ribaldo) non è che sembrino in grado di organizzare una fronda di effettiva consistenza. Perché il cuore della questione – trascrivo l'argomentare di Spinky – è "ke se uno veste Polan&Doompy prima si capiva ke era stato a NY ora invece anke i tamarri possono farlo". E insomma il solo rimedio alla avvilente massificazione dei consumi consisterebbe, secondo Spinky, in un vigoroso rilancio della discriminazione di classe, perché i tamarri non devono permettersi di vestirsi come Spinky, che a New York c'è effettivamente stato (oppure c'è stato Pikkio che gli ha portato una felpa, e vale lo stesso). Adesso invece da Baranzate a Milano con la Twingo, soprattutto di sabato, sono capaci tutti di andarci.

Sono i pronipoti di quelli che ci andavano in due giorni con il birroccio, da Baranzate a Milano, per vendere le lattughe o le galline, sobbalzando sulle buche e maledicendo il sole a picco o la pioggia fitta, avendo come unico sollievo le scoregge del cavallo che procuravano buonumore a tutto l'equipaggio. Ma almeno (e qui il mio pensiero rischia di collimare pericolosamente con quello di Spinky) potevano valutare quanto è duro campare, quelli del birroccio, e quanto ci si deve rompere il culo per mangiare; mentre questi qui con la Twingo, per accaparrarsi la loro felpa d'ordinanza, per tutta fatica hanno dovuto convincere la madre o il padre o un nonno a scucire un paio di biglietti da cento. E dunque – sempre seguendo il ragionamento di Spinky e suppongo anche di Pikkio – dove va a finire, scusate, quel poco di distinzione che ci rimane, in mezzo al gregge sterminato dei consumatori, se non ci resta nemmeno la certezza di sapere che a Baranzate praticamente nessuno può permettersi una felpa di Polan&Doompy? Vi rendete conto, signor Polan e signor Doompy, che con la vostra dissennata politica commerciale avete messo anche Maggie, Stelly, Niko, Neffy, Frankie, Riko, Toffy, Paffy, Wally, Tinky, Lillo, Pussy, Lemmy, Preppy, Benny, addirittura Uolly sullo stesso piano di Pikkio e di Spinky, che almeno sono stati *davvero* a NY e dunque hanno – loro sì – il diritto di indossare la vostra felpa, un poco come il timbro che il pellegrino riceve solo se *davvero* arriva fino a Santiago di Compostela? Oppure volete venire a raccontarci che Giasone il vello d'oro se lo è trovato sotto casa, magari pure in saldo?

Saremo mica diventati tutti uguali, per caso?

È un fatto, comunque, che accanto all'opzione A (tutti da Polan&Doompy a comprare la stessa felpa) e all'opzione B (speravo che fossimo in pochi, con la felpa di Polan&Doompy, e invece guarda qui che disastro, ci sono l'Itis di Baranzate al completo e mezza ragioneria di Lissone, a fare la coda) non sia contemplata un'opzione C: piuttosto che mettermi una felpa di Polan&Doompy, vado in giro con la marsina o anche a torso nudo.

Forse la pensa così Pierfrancesco. Ma non lo dice.

In ogni modo, Polan&Doompy non è un normale negozio di felpe. Un autorevole blog di moda lo definisce "casual luxury lifestyle brand". Provo a tradurre in italiano: "Marchio di abbigliamento informale ma lussuoso in grado di suggerire che chi lo indossa possiede addirittura uno stile di vita". Solo l'"addirittura" è mio, tutto il resto è testuale.

Ho provato ad andarci di sabato, ma di sabato sono rimasto a guardarli da lontano, dal marciapiede di fronte, con un Campari in mano. Perché per essere ammesso al tempio non ero disposto a fare neppure trenta secondi di coda, e poi in una coda di Neffy e Paffy mi si sarebbe notato e classificato nel novero dei pochi e patetici genitori che accompagnano i figli, divisi in due categorie: quelli molto, molto in sintonia con i loro ragazzi, insomma ragazzi essi stessi, intramontabili, entusiasti, che forse usciranno di lì con la stessa felpa di Neffy e Paffy; e quelli che invece non sono contenti di essere lì, ma ci stanno lo stesso perché considerano un dovere sociale, ogni tanto, dare un volto e un'anima alle carte di credito sulle quali si regge il mondo.

Così ci sono tornato di mercoledì.

Già a duecento metri di distanza si sente un profumo stordente, molto dolce, come se un'autobotte di sciroppo si fosse ribaltata nei pressi. Me lo avevano detto, del profumo; ma quando sei lì rimani lo stesso molto colpito. All'aria aperta tutto quel profumo fa un'impressione di scialo metà tracotante metà spiritoso, tipo "primo me lo posso permettere, secondo sono un po' matto e se mi gira posso anche lastricare di foglie di carciofo tutto il marciapiede". Nelle strategie del commercio c'è una grandeur che ormai solo i coreani del Nord possono permettersi. E presto neanche loro. A rendere spettacolare il mondo rimarranno solo le catene di casual luxury lifestyle brand.

Appena entri, e cerchi di mettere a fuoco lo sguardo nella penombra rossastra, capisci che non è solo un negozio, non proprio. Già la penombra rossastra è un indizio. Ti ritrovi in un misterioso pianterreno dalle funzioni indefinibili, un incrocio tra il foyer di un teatrino non di tendenza (in cartellone potrebbe esserci *Grease*), l'atrio di un salone di bellezza multipiano, l'enorme ascensore voluto da un emiro per salire a palazzo con le trenta mogli velate tutte insieme e la sala d'attesa del Grande Provino Generale per l'ammissione d'ufficio al master di narcisismo.

Anche i commessi non sono commessi. Non proprio. Sono ragazzi molto belli e ragazze molto belle, poco vestiti, sorridenti senza esagerare (un sorriso eccessivo metterebbe a repentaglio l'impostazione dei lineamenti), per statuto non parlanti, addestrati a rivolgere a chi entra solamente un "Hi!" o un "Hey!" o altri fonemi brevissimi ma confidenti. Stazionano in piedi, in piccoli crocchi, scompaginando la postura morbida ma abbastanza solenne (il punto d'incontro, secondo me studiatissimo, tra l'Attenti! e il Riposo!) solo con un breve cenno della mano rivolto, a tratti, alla mandria in entrata. Il loro sguardo non si fissa su alcuno, è luminoso e distratto, nella penombra inquadra qualcosa di vago e lontano che noi possiamo solamente intuire, come se loro stessero facendo sci nautico e noi cercando un cacciavite in garage.

Non puoi, anzi non devi, chiedere a questi fichissimi e fichissime informazioni, prezzi, dislocazione delle felpe e delle magliette, loro espongono solo se stessi, le loro giovinezze in fiore. Devo essere molto prossimo, come assetto psichico, al bisnonno bifolco che arrivava da Baranzate col birroccio. Perché nella sostanza, e per farla breve, tutta quella dovizia di carne asciutta e di pelle liscia, di begli occhi e labbra fresche, nonostante lo sforzo di inquadrarla socialmente e antropologicamente – il precariato, l'inutilità delle lauree triennali in Scienze delle comunicazioni eccetera – mi suggerisce solo una sorta di impulso basico e inequivocabile: trombare tutti insieme, maschi e femmine, anche per levare loro e me dall'imbarazzo di non sapere bene che cosa ci si stia a fare, in quell'atrio profumatissimo, io e loro... io un non cliente, loro dei non commessi, e intorno a noi un clima di seducente sospensione del buon senso, delle abitudini, delle traversie quotidiane.

Ci sarà pure, mister Polan e mister Doompy, un uso comprensibile anche per noi buzzurri latini – tra i quali mi annovero, senza meno – di tutta quella carne che risplende nel buio, tutto quell'eros continuamente suggerito, promesso, allestito e poi non concesso; ma voi credete, scusate tanto, che io, dopo avere visto concentrata in pochi metri tanta bellezza umana quanta ne basterebbe per l'imperatore della Cina, poi possa andarmene soddisfatto per avere *comprato una felpa*? Ci pensi bene, con tutto il rispetto: *una felpa* dopo averci fatto intuire, a tutti quanti, come potrebbe essere la vita se eros e giovinezza fossero a portata di mano sempre, comunque, per tutti (anche per quelli che vengono da Baranzate con la Twingo) e in quantità così ingente? Possibile che lei non intuisca, mister Polan, e neanche il suo amichetto Doompy, che reclutare gli dèi per *vendere una felpa* alla lunga rischia di offenderli, gli dèi, e soprattutto di far sembrare la felpa un miserabile inganno?

Ovviamente la cultura mette le briglie alla natura – mica per niente siamo diventati civili – e quell'istinto di allungare le mani su chiunque transiti per quell'atrio licenzioso rimane a galleggiare nei miei recessi, se ne resta subdolo e vago nella penombra che avvolge il luogo. È una sequenza veloce di pensieri ambrati, ci potessi lavorare meglio diventerebbero i quadri gloriosi di un'allegoria pagana che mi vede sovrano beneamato circondato da quelle vergini e quegli efebi, dissetarmi a cento fonti e nutrirmi di cento frutti... Ma niente, di quella mia festa intima, traspare dal mio comportamento. Che si mantiene ineccepibile, composto, dopotutto siamo scesi dal birroccio almeno da un paio di generazioni. Sorrido a tutti, faccio brevi cenni con la mano e dico, seppure sottovoce, parecchi "Hi!" al bouquet di divinità minori che mi ospitano. E poi, per scongiurare ulteriormente l'equivoco erotico, ho l'ottima idea di immaginarmeli tutti, maschi e femmine, a casa loro, nelle loro stanze scompaginate, in mezzo a montagne di calzini appallottolati, e i cassetti semiaperti che vomitano felpe, tutto per terra, anche qualche piatto sporco, loro pulitissimi che hanno appena fatto la terza doccia di giornata, depilati, sbarbati, pettinati, ossigenati, levigati, idratati, rifilati, con le unghie dei piedi perfette, però in mezzo a un merdaio sciatto, straripante, che per quel che mi riguarda vale, quanto a calo del desiderio, parecchi punti. Lo stesso effetto di un piede o di un'ascella che puzza: vedete, miei cari, quanto inchiodati siamo, noi padri e noi madri di qualunque tendenza o calibro, all'idea antica che la bellezza del mondo sia decisamente affare nostro. Anche affare nostro. E lo sia al punto che io mi faccio la doccia, in genere, solo quando ho finito di sgobbare e mettere la casa in ordine, le cose al loro posto; non perché la cura di me stesso non mi sia preziosa, e grata, ma perché la considero inseparabile dalla cura dei miei posti. Tutt'uno. E siccome pulendo e riassettando una casa o una stanza si suda, è meglio lavarsi dopo, solo alla fine, per dare alla sequenza dell'ordinato e del pulito una sua logica.

Nelle vostre docce interminabili, dieci minuti, un quarto d'ora, scrosci d'acqua che basterebbero a irrigare un ettaro di deserto, nel bagno scintillante di luce e ovattato dal vapore trionfa, finché gli è dato di trionfare, non solamente lo scialo; trionfa anche l'illogica illusione che il corpo – il tabernacolo dell'Io – possa salvarsi da solo, rimanere integro mentre intorno tutto si corrompe.

Ai piani superiori le felpe e le magliette si vedono poco. Sono stipate in bacheche, scaffali, angolini scuri. Come se sapessero di essere solamente un pretesto. Le guardo: sono felpe e magliette. Molto più vistose, alle pareti, enormi gigantografie di sciatori maschi a torso nudo, parecchio aitanti, di non immediata interpretazione stilistica, direi una rilettura gay di un classico del vintage, lo stem-Christiania sui monti bavaresi, forse ci sono un paio di gerarchi nazisti che li aspettano, quei valenti e giovani sportivi, giù all'albergo Edelweiss, e neanche sospettano che non sarà il Terzo Reich a cogliere i frutti di tutto quel guizzar di muscoli, ma Polan&Doompy.

Poi incidono, naturalmente, anche l'età, la formazione personale, il pregiudizio. Fatto sta che improvvisamente quel clima tenebroso, rotto solamente dal fulgore della carne e dai torsi nudi, e quei capelli corti, quelle mascelle sorridenti e fiere, hanno assunto ai miei occhi un che di nibelungico, e mi sono improvvisamente sentito latino, chiatto e di sinistra in mezzo a nugoli di eroici guerrieri teutonici, anche se reclutati nel Varesotto o nella Bergamasca, magari, ma insomma (grazie a una severissima selezione) tendenti al settentrionale quello vero, non quello prealpino che è appena una maniera diversa di essere terroni. Sono tutti *davvero* biondi e alti, i manichini viventi di Polan&Doompy, come se li avessero reclutati proprio a NY oppure li avessero affidati a un tutor che li digrezza prima di esporli al pubblico. Anche le playgirl, del resto, le prendono nel Nebraska o in Arkansas ma dopo un paio di set fotografici a Frisco o a Manhattan è incredibile come imparino subito a non masticare il chewing-gum con la bocca aperta.

Non si capisce bene perché stiano sciando, questi qui di sopra, così come non si sapeva perché stavano in piedi e dicevano "Hi!" quelli di sotto. Ma certamente tutti, i polandoompiesi certificati e stanziali e – potenzialmente – anche tutti gli aspiranti polandoompiesi in visita, sprizzano quella sconfinata venerazione della figura umana, meglio se la propria, che segna il nostro tempo tanto quanto la clava segnò l'età delle caverne e la prospettiva il Quattrocento. Sotto i piedi e sopra i capelli niente che meriti un'attenzione anche vaga, non le zolle nere e dense, non il cielo azzurro e vuoto. Paffy, Nelly e Spikkio operano incessantemente sulla manutenzione dei due metri scarsi di universo occupato dal loro corpo, e dunque radunarsi in questo Tempio del Torace deve sembrargli tanto importante, tanto esauriente quanto al mistico contemplare i monti. In quei due metri scarsi c'è tutto quello che conta. Tutto quello che conta è Io.

Forse Polan&Doompy, anche a sua insaputa, e nel suo piccolissimo, ha una funzione escatologica, è qui per spiegarci, cioè, dove andremo a finire. O meglio dove andrete a finire voi, che avete ancora molto più tempo di noi, per finire, e a finire avete appena cominciato.

Andremo a finire, andrete a finire davanti a uno specchio, ognuno guardando se stesso fisso negli occhi. Non è tanto questione di uomini che amano gli uomini (penso agli sciatori dei piani superiori), quello è appena un dettaglio, una variante davvero minima, perché si tratta comunque di amare *un altro*. Qui si sta parlando, invece, di amare e venerare e contemplare senza requie solamente se stessi. E se si discute ancora tanto di Narciso, parecchio tempo dopo lo sciagurato incidente, non è certamente perché, amando se stesso, amava un altro uomo; è perché amare solo se stesso gli impediva di amare *un altro*; così da confondersi parecchio, circa l'Io e il non Io; perché vedendo la propria immagine riflessa, invece di borbottare distrattamente "questo qui lo conosco", Narciso esclamò "ma chi sarà mai questo bellissimo giovine? Lo voglio! Lo voglio!".

(A Pompei, un po' di anni fa, udii una improbabile guida locale, di fronte all'affresco di Narciso, offrire ai turisti la seguente, geniale versione dei fatti: "Narciso era un bellissimo giovane che vedendo la sua immagine riflessa in uno specchio d'acqua volle baciarla, si buttò e morì annegato. Insomma: uno scemo totale". Dal punto di vista psicanalitico non saprei dire; dal punto di vista tecnico il giudizio è ineccepibile.)

Sono dunque uscito da Polan&Doompy con una domanda incombente. Anzi due o tre. Che probabilità di successo ha la Soluzione Finale in corso d'opera, quella che prevede la trasformazione degli esseri umani in Scemi Totali (e dunque consumatori ideali e sudditi ossequiosi) attraverso il narcisismo di massa? La narcisizzazione dell'umanità ha punti di crisi? È un processo reversibile? Esiste il momento nel quale Paffy di Baranzate scende dalla Twingo e dice: "Scusate, andate avanti voi, non so perché ma mi è passata la voglia"? Oppure ognuno è destinato a diventare il Grande Fratello di se stesso, sorvegliare filmare fotografare riprodurre ogni proprio gesto, ogni proprio sospiro, ovviamente ogni vestito e ogni accessorio, modellarsi autisticamente giorno dopo giorno senza che il cozzo con gli altri lo deformi, lo scomponga, lo confonda, lo innamori, insomma lo *alteri*, lo riconsegni al caso e alla natura, alla gloriosa confusione della vita?

Possibile prova empirica per una politica (radicale) di denarcisizzazione. Violando il protocollo, nell'atrio di Polan& Doompy chiedere al più bello o alla più bella, con un sorriso veramente amichevole: mi scusi, ma se io le infilassi a tradimento un dito su per il culo lei si innamorerebbe di me o chiamerebbe la polizia? Oppure continuerebbe a non dare alcun segno di vita, e a dire "Hi!" sorridendo, e accompagnando il verso con brevi cenni della mano?

Tra gli appunti sparsi della *Grande Guerra Finale*: "Riscrivere il capitolo sul tragico bombardamento di Polan&Doompy da parte dell'aviazione dei Vecchi. Inutili le poche righe sui superstiti. Non prevedere superstiti".

Di' la verità: tu muori dalla voglia di venire con me al Colle della Nasca. Ma pur di non darmi questa soddisfazione, ti ostini a fingere di non averne alcuna voglia.

11.

Ti ho chiesto: "Come mai sei abbronzato?".

Mi hai detto: "Sono stato sul tetto della scuola a prendere il sole".

Stavo per dirti che è vietato. Che è pericoloso.

Per fortuna non te l'ho detto. Mi ha trattenuto il dubbio di opporre a un tuo atto insolito un giudizio troppo solito. Più ancora, mi ha trattenuto la sorpresa. Sono rimasto in silenzio. Ti sei alzato da tavola e te ne sei andato.

Ti ho raggiunto nella tua stanza. Ti ho chiesto: "Ma eri da solo o con altri tuoi amici?".

Mi hai detto: "Da solo. Quando non ho voglia di stare in classe e il tempo è bello, spesso vado sul tetto a fumarmi una paglia e a guardare le nuvole".

Da solo a prendere il sole sul tetto della scuola. Mi piace. Anche se fosse una balla – una delle tante che mi racconti – mi piace. Non che conti molto, per te, il fatto che mi piaccia o non mi piaccia. Peggio: se mi piace, rischia di smettere di piacerti. Così mi guardo bene dal comunicare approvazione per questo tuo stravagante interludio. Però lo trattengo nei pensieri, ne conservo l'immagine. Non solo perché è un raro reperto della tua vita misteriosa. Ma perché è un indizio interiore. Racconta una vocazione alla solitudine e al silenzio.

12.

Una delle pagine più grandiose della Grande Guerra Finale fu la battaglia campale di Lunitch, durata due giorni e due notti tra il 19 e il 21 aprile del 2054.

Le fotografie satellitari dell'epoca mostrano una larga chiazza grigia estendersi per chilometri dalle alture circostanti fino alla periferia industriale della città di Lunitch: è la fanteria dei Vecchi, incalcolabile massa umana, milioni e milioni di bipedi malfermi. Qualcuno con imprevedibile prestanza, la maggior parte reggendosi a stento e sostenendosi al vicino di fila, muovono alla conquista del quartier generale dei Giovani, un garage dismesso di una decina di piani accanto all'aeroporto abbandonato.

Dicono che l'armata dei Vecchi fosse tanto numerosa, e tanto inedito il concentrarsi di un tale numero di umani in marcia sulla faccia della Terra, che il solo battere dei passi bastava, a chilometri di distanza, a far tremare le vetrine e i tavolini dei bar nel centro della città.

I sismografi di mezza Europa registrarono quella mostruosa vibrazione. Aggiungono altri che la marcia era così claudicante, così irregolare e rotta da continui inciampi e cadute da produrre, frammiste al potentissimo rombo di fondo, dissonanze mai udite. Terrorizzati da quelle sinistre interferenze, gli animali della zona – cani, gatti, uccelli, serpenti – fuggirono e non vi fecero ritorno che dopo molti mesi.

A questa dilagante macchia umana si opposero poche migliaia di Giovani Opliti, decisi a resistere a oltranza. Il rapporto numerico tra Vecchi assedianti e Giovani assediati, nel fatidico scontro di Lunitch, fu di cento a uno, perfino più iniquo di quello della società europea dell'epoca, che era di dieci vecchi per ogni giovane. Contando sulla forza soverchiante della quantità, e avvantaggiati dalla prospettiva di perdere, in caso di morte, solo una piccola quota residua della propria vita, i Vecchi avanzavano incuranti della mitraglia che li falciava, e dello scoppio delle mine che ne scempiava i ranghi.

In conseguenza della penuria e del caos creati dalla Sesta Crisi Energetica, gli assedianti erano malamente armati. Vecchie carabine da caccia, pistole per la difesa personale sortite da dimore private (molti avevano appeso allo zaino, come spavaldo complemento della divisa, il cartello ATTENTI AL CANE E AL PADRONE staccato dal cancello di casa), qualche antiquato smart-gun della Apple (soprattutto iShot 3 e 4, mentre l'esercito dei Giovani aveva già in dotazione il 6 e il 7). Ma soprattutto armi bianche di ogni genere, spade, asce, mannaie, baionette, coltellacci, che i Vecchi mulinavano al sole con truce baldanza, facendo crocchiare le articolazioni: l'esaltazione li rendeva incuranti del dolore.

I campi di Lunitch erano un unico infinito mosaico di bagliori metallici, milioni di piccoli lampi intermittenti che da lontano facevano l'effetto di un gigantesco banco di pesci finito in secca, e ancora guizzante negli ultimi spasimi di vita. Tanto sterminato era quell'incedere di corpi e di lame luccicanti che perfino il brillio delle mine non riusciva a conquistare lo sguardo che per pochissimi istanti, subito sopraffatto dalla miriade scintillante delle lame al sole.

Ai Giovani assediati, che osservavano quell'orda tremenda dall'alto del loro precario fortilizio e cercavano di falcidiarla a colpi di mitraglia, era soprattutto quel brillio di acciai a perdita d'occhio a incutere spavento. Davano quelle lame all'orda dei decrepiti un aspetto arcaico, da albori della Storia, confermando nei Giovani il sospetto che il Tempo li avesse davvero ingannati e traditi, concedendo vita nuova e imprevista a quella ferraglia dissepolta, a quelle ossa porose e artritiche, a quella caricatura dell'eternità che minacciava di rubare loro la scena per sempre: fino a che anche i loro corpi non fossero diventati cadenti, e vecchi anche loro i Giovani fossero costretti a loro volta ad arrancare, astiosi, contro le nuove vite insorgenti.

Ma era il rumore delle voci umane, dicono i pochi superstiti, a segnare l'anima come un chiodo arrugginito incide la carne. Le urla di guerra in tutte le lingue europee che salivano dall'armata dei Vecchi erano così rauche, così afone, segmentate dalla tosse, rese chiocce dall'atrofia delle mucose, da produrre un rantolo continuo e raggelante. Conteneva, quel rantolo, un sentore di agonia che suscitava nei giovani avversari un terrore invincibile: essere comunque prossimi alla morte era in quella guerra, e specialmente in quella battaglia, il grande vantaggio dei Vecchi, il loro incolmabile privilegio. Se anche uno solo di loro, di lì a poco, scavalcando i cadaveri a mucchi dei suoi compagni, fosse riuscito a raggiungere un giovane per affrontarlo nel corpo a corpo, la disparità della forza fisica sarebbe stata compensata dalla sua confidente prossimità con la tomba.

La battaglia si concluse con la fuga di poche centinaia di Giovani, i soli sopravvissuti all'interminabile assalto. Con una sortita si fecero largo tra i Vecchi stremati e scompaginati, e la loro corsa era impedita più dai cumuli dei cadaveri che dai nemici ancora in vita. Raggiunsero una città vicina dove stabilire un nuovo quartier generale e attendere un nuovo brulicante assalto, e così, se non fossero intervenuti fatti nuovi, sarebbe stato per mesi, per anni, perché quella era una guerra che minacciava di non essere vinta né perduta. I Vecchi erano in numero soverchiante e la loro fanteria pareva infinita; ma i Giovani avevano velocità, destrezza e fame di vita, e per quanti i Vecchi ne uccidessero, o riuscissero a farne prigionieri e ridurne in schiavitù, nuovi manipoli di ragazzi riorganizzavano, in tutta Europa, la resistenza e la guerriglia.

Al tramonto del secondo giorno il sangue dei Vecchi inzuppava la stoppie e il fango dei campi incolti. Il tenente Asio Silver, eroico incursore dell'Armata Giovane, tamponandosi una ferita da taglio alla spalla osservava la scena della battaglia dal tetto di un condominio periferico sul quale aveva trovato scampo e momentaneo rifugio. Tutto era rosso, a perdita d'occhio, la terra, l'erba, le chiome degli alberi fino a qualche metro di altezza, le strade d'asfalto e quelle sterrate. Il tenente si chiese come da quei corpi pallidi, da quelle membra disseccate, potesse scorrere un sangue pur sempre così rosso, uguale a quello di un bimbo, rosso come quello che gli inzuppava la casacca azzurra da incursore.

"Che macello," udì mormorare alle sue spalle. Credeva di essere solo. Ebbe un sobbalzo e si girò di scatto, chiedendosi quale dei suoi compagni assediati fosse riuscito a trovare scampo lassù. Ma subito si rese conto, irrigidendosi per lo spavento, che alle sue spalle c'era un soldato vecchio, che lo fissava impugnando una lancia insanguinata. Asio aveva appoggiato il suo mitra a un comignolo, a parecchi metri di distanza. Era disarmato. Si vide perduto.

Cercò di rimanere immobile, bilanciando un poco meglio sulle gambe il corpo eretto, per ricevere l'imminente attacco del soldato nemico con qualche possibilità di difesa. Ma il nemico non si muoveva. Restava in piedi a pochi metri da lui, silenzioso, tranquillo, guardando ora gli occhi del giovane, ora la scena della carneficina che si estendeva sotto di loro per chilometri e chilometri.

Per un lungo istante, mentre un vento carico del puzzo delle interiora dei morti scomponeva i capelli lunghi del ragazzo, i due rimasero l'uno di fronte all'altro. Il giovane ebbe modo di guardare meglio il vecchio. Vide che era alto e magro, appena incurvato, con un portamento ancora quasi prestante nonostante il reticolo fitto delle rughe rivelasse un'età molto avanzata. Portava la divisa degli alti ufficiali, nera con le mostrine argentee, sporca di sangue e di fango. Neanche un capello ornava il cranio pelato e cotto dal sole. Pareva del tutto glabro, quasi ligneo per l'asciuttezza del corpo e la consunzione della pelle.

Dopo un poco il vecchio parlò.

"Mi chiamo Brenno Alzheimer. Sono il comandante in capo della Settima Divisione della Quinta Armata dei Vecchi. O forse della Quinta Divisione della Settima Armata. Non me lo ricordo perché ho novantasei anni, e la memoria mi fa difetto. Non ricordo nemmeno perché sono entrato in guerra, e quando. So che da civile facevo il professore, insegnavo glottologia, psicoglottologia e archeoglottologia. Oggi ai miei ordini ci sono quattro milioni di fanti. Forse tre, dopo questa battaglia. Ma erano solo morituri tenuti in vita da assurdi farmaci. Come me. Non mi vedrai piangere per loro. E neanche per me, che potrei tirare le cuoia da un momento all'altro. E tu, soldato, come ti chiami?"

"Io ho diciannove anni e sono il tenente Asio Silver," rispose il ragazzo cercando di mantenere ferma la voce, "e non ho paura di te. Corro più veloce e sono molto più forte."

Il vecchio sorrise. Le labbra screpolate si arricciarono. Al ragazzo parve che dal labbro inferiore sgorgasse sangue. E che nell'occhio destro, semichiuso da un ematoma o forse da un acciacco dell'età, fiorisse una lacrima.

"Non ho capito una sola sillaba di quello che mi hai detto," riprese il vecchio, "perché sono quasi completamente sordo. Per capirti bene dovrei avvicinarmi, e non mi fido. Voi ragazzi siete troppo irruenti, incapaci di ragionare, di governare gli istinti. Probabilmente mi salteresti addosso, rischiando di infilzarti nella mia picca. Mi dispiacerebbe per te. E anche per me, perché non potrei più dirti quello che ti devo dire."

Il giovane tacque. Non capiva. Brenno lesse sul suo volto incertezza e attesa.

"Non devi temere per la tua vita. Non qui e non adesso. Io non sono solo uno dei capi più importanti e rispettati dell'esercito dei Vecchi. Io sono molto di più. Sono un traditore."

Calò un breve silenzio. Asio rilassò percettibilmente la postura, come se non avesse più timore, e restò in attesa che il vecchio proseguisse. Il vecchio continuava a guardarlo negli occhi, e mezzo sorriso incorniciava ancora una chiostra di denti esageratamente candida, si capiva che da civile era stato il ricco cliente di un dentista ruffiano.

"Hai capito bene, ragazzo. Sono un traditore. Sono stato io, approfittando del mio ruolo di comando, a spingere la mia armata incontro a questa ecatombe. E siccome non sono un vigliacco ho cercato la morte anche io, guidando in prima fila il mio esercito. Ma la mitraglia centrava quello alla mia destra, poi quello alla mia sinistra, poi quello dietro di me; e le mine brillavano a pochi passi dai miei passi. Io me la sono cavata con un paio di graffi appena. Invulnerabile. Forse immortale. Che dici, ragazzo, il comandante Brenno Alzheimer è per caso immortale?"

Asio non sapeva se rispondere, e cosa rispondere.

"No, giovane grullo, che non sono immortale. Nessuno lo è. Nemmeno quegli sconci miliardari decrepiti che si fanno trapiantare gli organi dei bambini, e li nascondono tra le loro cellule guaste come gioielli in cassaforte. Ho conosciuto a Nurielberg un magnate della finanza che aveva in corpo i corpi di almeno venti bambini, comprati in Asia. Così come noi Vecchi, adesso, compriamo in quei paesi giovani mercenari e giovani schiavi per schiacciare la vostra resistenza militare. Quel vecchio di Nurielberg andava fiero del suo corpo rinato grazie alle carni più fresche disponibili sul mercato; riprese ad andare in bicicletta, pimpante come se avesse trent'anni di meno, ma proprio la bicicletta gli fu fatale. Gli si impigliò la sciarpa nei raggi e finì strangolato..."

"Come Isadora Duncan!" proruppe Asio Silver.

"Eh?" disse Brenno.

Asio tacque e accennò quasi un sorriso di scuse, perché avere parlato a un sordo gli era sembrata un'indelicatezza.

Brenno chinò il capo, come se un pensiero soverchiante avesse fatto breccia nel suo racconto.

"Ho deciso di tradire la mia generazione poche settimane fa. Quando ho assistito alla fucilazione di una dozzina di voi altri, nella caserma di San Baltazar. Otto ragazzi, quattro ragazze. Per rientrare nel mio appartamento dovevo per forza passare vicino ai loro cadaveri. Non avevo altra strada, né volevo prendere il cortile troppo alla larga, mi seccava dare ai miei ufficiali la sensazione di avere paura di quei morti. Così sono passato accanto ai loro corpi, e mi sono fermato a guardarli. Ho visto i loro volti senza rughe, le ciocche di capelli luminosi sulla fronte e sulle tempie. Le mani lisce, con le unghie ben formate, le articolazioni agili e non ancora gonfie. Le bocche schiuse nell'ultimo respiro, aperte su denti sani e regolari. I toraci asciutti, i ventri tesi, le ragazze con le vite sottili e i seni pieni sotto la casacca zuppa di sangue. Ho visto tutto quello che non ho più da tempo, né riavrò mai più. La giovinezza può essere eterna, ho pensato. Purché si accetti che non ci appartiene più.

Che passa oltre, come l'acqua di un fiume. Solo perché la giovinezza è quella degli altri noi dobbiamo odiarla?"

Il ragazzo ascoltava. Brenno tossì, portando la mano ossuta alla bocca. Una folata di odore fetido li raggiunse sul tetto, morte che si aggiungeva a morte.

"Sotto di loro si allargava il sangue, lento, tiepido, inesorabile. Se mi fossi fermato ancora qualche minuto, avrei veduto i loro volti scolorire. Devo essere stato parecchio fermo a guardarli. Un ufficiale mi ha detto qualcosa. Non ho capito che cosa, ma mi ha portato via."

Brenno tacque di nuovo. Taceva anche Asio, e sembrava guardare nel nulla, riflettendo su quel racconto inatteso. Si avvicinò di qualche passo al vecchio. Gli disse, alzando la voce perché lo udisse:

"Noi, della vostra pietà, non sappiamo che farcene".

Brenno questa volta riuscì a sentire. Anche perché, vedendo avvicinarsi il ragazzo, si era messo la mano a conchetta dietro all'orecchio.

"Non credo che pietà sia la parola che spiega, ragazzo. Il sentimento che ho provato quel giorno, dopo moltissimo tempo che non lo provavo più, era tutt'altro. Era, se vuoi, meno disinteressato. Ero innamorato. Di tutti e dodici. Della loro giovinezza e della loro bellezza. Mi dava dolore vederli inerti, saperli già sprovvisti della luce del giorno dopo, che io invece avrei veduto offuscata attraverso i miei cristallini consumati. Li avrei voluti ancora vivi. Camminare, fumare sigarette, parlare tra loro, fare l'amore. Avrei voluto poterli guardare, e guardarli quasi ogni giorno fino all'ora della mia morte e fino a che gli occhi mi funzionassero. E invece erano immobili nel loro sangue, e mi è tornata in mente quella frase di Jean Genet – uno che scriveva i libri – quando guardava i marinai sul ponte delle navi perché voleva cogliere *la gloria dei corpi in movimento*. Che poi è la gloria della giovinezza: perché invecchiare è soprattutto il progressivo spegnersi del movimento. Tutto il resto si sopporta. Vederci poco, sentirci poco, avere tra le gambe una foglia secca e non più un ramo pieno di linfa... Ma muoversi per il mondo come se il mondo fosse tuo, quello ti manca come l'aria, come il respiro. Ti manca come te stesso..."

Tacque di nuovo. Sospirò, a capo chino. Poi rialzò lo sguardo.

"Anche tu sei piuttosto bello, soldato, se la poca luce che i miei occhi riescono ancora a raccogliere non mi inganna. E so che non è un merito, essere bello. Ma non trovo altra ragione, da quel giorno a San Baltazar, per sapere che siete voi ragazzi a dover vincere la guerra. La bellezza deve vincere la guerra. La natura deve vincere la guerra. La vita deve vincere la guerra. Voi giovani dovete vincere la guerra. Per questo, ragazzo, ascolta bene quello che devo dirti. Ritiratevi tra i monti a nord di Lunitch, e rimaneteci qualche mese. Organizzate la difesa, recuperate le forze, riarmatevi. In autunno manderò nuovamente allo sbaraglio legioni e legioni di vecchi dementi come me. Non vedono l'ora, gli imbecilli, di andare a farsi scannare. Non hai idea di quanto siano vanitosi i vecchi: l'idea di trascinarsi in un campo di stoppie con una spingarda o un coltellaccio in mano, giocando a fare i soldati, li manda in deliquio... O forse è solo un modo, anche quello, per rubare a voi giovani – dopo tutto quello che vi abbiamo già rubato – anche il privilegio di morire combattendo, con i muscoli tesi e l'animo eccitato, e non rantolando tra lenzuola infette, con la pelle piagata dal decubito. Entro un anno i superstiti scopriranno di essere decimati, di avere scialato un vantaggio numerico che pareva esorbitante. Avranno paura di perdere quel poco di tramonti al mare, quel poco di allegre cene con gli amici che ancora resta loro. E vedrai che firmeranno l'armistizio. Sequestrate i loro beni, ne hanno in eccedenza, ma siate magnanimi: lasciate loro la Florida, la Costa Azzurra, un po' di terre a clima mite dove giocare alla *pétanque* e bere vino bianco facendo gli spiritosi con le cameriere. Concedetegli, insomma, una sala d'attesa della morte che sia dignitosa, possibilmente con vista mare, e fate che l'allestimento sia il migliore possibile, perché presto, non dimenticatelo, toccherà a voi prendere il loro posto. Ah, un'altra cosa: se muoio prima dell'autunno, come è molto probabile, sappiate che passerò le consegne del mio tradimento al generale Pukmoisis. Potete fidarvi di lui. Ha un'amante di ventitré anni, simpatizzante della vostra causa, e farebbe qualunque cosa pur di farsi bello ai suoi occhi...

"Un'ultima cosa. Ho una nipote, anzi una bisnipote, che fa la guerriglia a Madrid. Si chiama Scilla Persano. Non la vedo da quasi tre anni. Mi ha scritto decine di lettere furiose, appassionate, cariche di astio e di rimprovero. Non le ho mai risposto. Non volevo farle sapere che ho pianto quasi a ogni sua lettera, soprattutto quando riuscivo a trovare gli occhiali per leggerla. Se mai tu la incontrassi, dalle questa."

Brenno sortì dalla tasca un foglio scritto a mano. Lo porse al giovane tenente.

Asio Silver fece altri due passi avanti e prese il foglio. Poi indicò il suo mitra appoggiato poco distante. Con un cenno del capo, il vecchio gli fece capire che poteva riprenderlo. Quando riebbe in pugno la sua arma Asio si domandò se non avrebbe fatto meglio a uccidere il vecchio. Capì che era solo il suo impeto giovanile, e invidiò al vecchio l'impassibile controllo di sé con il quale aveva condotto l'intero, lungo colloquio. Fece un cenno di saluto e con il mitra a tracolla, senza voltarsi, imboccò le scale sconnesse dell'edificio, scese fino a terra e si incamminò verso nord, stringendo ancora in mano la lettera di Brenno alla bisnipote Scilla, incerto se e quando leggerla.

Brenno rimase seduto ancora per un pezzo sul tetto del condominio. Era sfinito, e sedette appoggiando la schiena dolorante allo stesso camino dove il ragazzo aveva ripreso il suo mitra. Chiuse gli occhi. Nel dormiveglia vaneggiante che è tipico dei vegliardi, vide i Dodici Martiri di San Baltazar alzarsi, ripulirsi del sangue e andare a ballare la pachanga. Una ragazza – la più bella – gli sorrise, si riavviò i capelli e si allontanò sotto braccio al suo fidanzato. Brenno desiderò di morire presto.

Venne arrestato due settimane dopo e condannato a morte per alto tradimento; ma poche ore prima della fucilazione morì nella sua cella, suicida come Socrate: aveva rinunciato a trangugiare la manciata di pillole salvavita che prendeva da anni ogni sera.

In quella primavera del 2054 la Grande Guerra Finale, grazie a Brenno Alzheimer e al suo tradimento, si avviava inesorabilmente al suo esito, che i libri di storia così riassumono: "Nel trattato di Villerbosa (febbraio 2055) il governo rivoluzionario dei Giovani concesse ai Vecchi, in cambio della consegna delle armi e di una cospicua quota delle ricchezze favolose accumulate nel precedente regime, di ritirarsi in grandi riserve in riva al mare, nella fascia temperata del pianeta. Drasticamente ridotti di numero, i Vecchi accettarono infine la loro sorte e i Giovani ebbero il modo di riformare la società secondo i loro costumi e le loro aspirazioni".

La produzione di felpe e di sneakers registrò un incremento vertiginoso, e fece da volano al rifiorire dell'economia occidentale.

Se non vieni con me al Colle della Nasca sento che potrei morire di crepacuore.

13.

Dicono che avresti avuto bisogno di un Padre. Un vero Padre. Che avresti avuto bisogno del suo ordine ben strutturato, ben codificato, così da poterlo fare tuo oppure confutarlo e combatterlo, e combattendolo diventare un uomo.

Non c'è argomento che mi metta più in difficoltà. Del padre non ho che alcune attitudini. Per esempio quella, non trascurabile, di mantenerti con il mio lavoro e la mia fatica. Ma so che è sconveniente farlo pesare (anche se altrettanto sconveniente, lo dico a carico tuo, è dimenticarlo). Ma riconosco che di tutte le altre tradizionali attitudini del padre – stabilire regole, rimproverare, punire, disciplinare – non sono un convincente interprete. Le volte che tento di riportare ordine, sottolineare regole, sento di avere il tono incerto dell'improvvisatore, non il tono autorevole di chi è sicuro del proprio ruolo. Sento di sembrare uno che si è ricordato all'improvviso, costretto dall'emergenza, che avrebbe avuto il compito di governare. E non lo ha fatto. E simula, come il più ipocrita o il più inetto dei politici, di avere un programma di governo affastellando alla rinfusa mozziconi di regole, minacce improbabili, ricatti sentimentali, con la voce che oscilla dal borbottio lugubre all'acuto nevrastenico. Nel corso di questi concitati e per fortuna rari comizi domestici, dubito di almeno la metà delle cose che ti dico. Già mentre le pronuncio sento che appartengono a un armamentario retorico vetusto, rimediato appiccicando i cocci di vecchi codici infranti, spazzati via da rivoluzioni sociali o resi ridicoli dalla loro stessa prosopopea.

In termini tecnici, sono il tipico relativista etico. La definizione circola da qualche anno, più o meno spregiativa a seconda che chi la adopera sia molto o poco convinto di detenere verità assolute. La trovo calzante. Sta a indicare quella larga fetta di adulti occidentali che, a parte una ridottissima serie di precetti senza tempo e senza copyright (tipo non ammazzare e non rubare), non riescono a trovare indiscutibile alcun assetto etico, specie nella vita privata. Di qui una diffusa incapacità di pronunciare certi No e certi Sì belli tonanti, belli secchi, con quel misto di credulità e di boria che aiuta, e tanto, a credere in quello che si dice.

Sono il tutore ondivago di un ordine empirico, composto e poi scompaginato giorno per giorno, scritto in nessun Libro, impresso su nessuna Tavola. Ma lo avrei cercato volentieri insieme a te, quell'ordine, nelle pieghe faticose della convivenza, raccogliendo i calzini fetidi che segnano il tuo indugiare in un'infanzia decrepita, offensiva per entrambi, lavando i piatti sporchi che lasci ammuffire nel lavello, sopportando la tua pigrizia oscena, cercando un bandolo nei tuoi orari dementi, i rientri alle cinque del mattino, i risvegli pomeridiani, l'andarsene e il rincasare senza una logica percepibile, senza l'ombra di una concertazione con gli altri abitanti della casa. Come il più protervo, il più estraneo degli ospiti.

Di una parodia di Comandamenti ho a volte disseminato la casa. Attaccando sul frigo o in bagno o sulla porta d'ingresso biglietti comicamente imperativi, perché l'imperativo è il modo che ho dismesso – che abbiamo dismesso, noi dopopadri di questa dopoepoca – e dunque riesco a usarlo solamente in parodia. (Avere un padre parodista equivale ad avere una parodia di padre?)

"Prima di uscire controlla di avere lasciato accese tutte le luci di casa!", "Verificare lo stadio di decomposizione dei cibi prima di ingoiarli", "Il water marezzato di merda è un'installazione artistica o mi è consentito pulirlo?", "Lasci i tuoi peli nel bidè per motivi religiosi?", "Per piacere, se passi dal ferramenta compra uno scalpello, dobbiamo rimuovere dal lavandino i tuoi sputi di dentifricio calcificati".

Il non detto (il sogno?) era che dopo avere letto e sorriso, ammesso che tu abbia sorriso, dentro quel linguaggio morbido, lietamente ruffiano, avresti capito da te solo il giusto daffare. Dove per giusto daffare – attenzione! – non alludo a moniti minacciosi o definitive incombenze, a quei sistemoni castranti, quelle costruzioni annichilenti che furono le Religioni e le Morali, ma no, macché, ma ti pare che io abbia il *physique du rôle* del patriarca? Di quei vecchi maniaci che per millenni hanno messo in riga la tribù, ordinato le fila, allestito capestri, organizzato guerre, invocato orribili piaghe su nemici che a loro volta escogitavano per rappresaglia piaghe ancora più orribili attribuendone la paternità al loro dio pazzo (pensa che vigliacchi! neanche il coraggio di essere Padre in proprio, minacciavano e punivano per conto di un Padre Eterno che è il padre di tutti i padri, insomma l'alibi perfetto!). A parte la pioggia di rane che è irresistibilmente comica, il vero imbattibile capolavoro dello humour involontario per eccellenza che è quello biblico (e derivati), e darei non so che cosa per poterne davvero scatenare una, di pioggia di rane; stavo dicendo che non sono il tipo, come ben sai e come tutti possono intuire al primo colpo d'occhio, non sono il tipo da punizioni esemplari. E neanche da punizioni blande, se è per questo...

Io quando penso al giusto daffare penso solo all'onesto, parziale e non necessariamente compiuto tentativo di cercare un equilibrio decente tra la propria porca presenza al mondo e la porca presenza degli altri. Solo questo. E mi pare così ovvio, che i miei sputi di dentifricio nel lavandino e le mie righe di merda nel water non debbano a nessun costo essere imposte agli altri, che neanche riesco a concepire come tu possa lasciare i tuoi sputi e la tua merda occhieggiare tranquilli dalle ceramiche di casa, certi della loro impunità.

Lasciare pulito il cesso. Spegnere le luci. Chiudere i cassetti e le ante degli armadi. Per me sarebbe già molto. Anzi: moltissimo. Quasi mi commuoverebbe. Tanto da rendere lecito il sospetto che tu disattenda un così poco impegnativo ordine del giorno proprio perché è *troppo poco*... un fabbisogno etico così mediocre da non scalfire il tuo spirito, che custodisce, come è tipico dei giovani, il seme dell'eroismo, e certo non può accendersi nel nome del decoro domestico a me tanto caro. Così che se io, per dire, mi presentassi con gli occhi spiritati e ti dicessi che devi partire subito, stanotte stessa, per liberare armi in pugno un popolo oppresso, o per evangelizzare i selvaggi, o per ricacciare oltreconfine gli impuri (per dire solo alcune delle tipiche Cause non più a disposizione di noi relativisti), allora sì che ti vedrei balzare dal divano, farti in un attimo *hombre vertical*, preparare lo zaino e abbracciandomi mormorare chino al mio orecchio: finalmente, padre mio, invece delle meschine cazzate con le quali mi assilli da quando sono nato, mi indichi una Meta degna di questo nome! Mi indichi il sole di una fede, non più una lampadina da spegnere!

E io, di rimando, ingoiando le lacrime e sentendomi, infine, pienamente e finalmente padre: vai, figlio mio, copriti di gloria. E non preoccuparti per il water, penserò io a pulire le righe di merda! Ciò che mi era parso, fino a oggi, un compito ingrato, mi sembrerà il più leggero e insieme il più onorevole dei compiti! Perché saranno le righe di merda di un eroe!

Ma forse no. Forse non sarebbe per niente una fortuna alzarti finalmente dal tuo divano per liberare armi in pugno un popolo oppresso o evangelizzare i selvaggi o scacciare gli impuri eccetera. Perché in genere il prezzo di quelle gloriose iniziazioni, di quelle eroiche imprese, è stato, per generazioni di figli prima di te, spaventoso. Semplicemente spaventoso. E non parlo del rischio di morire, ma della certezza di vivere gravati da tabù sessuali, ossessionati da decaloghi, schiacciati dai doveri sanciti dal Tempio e da quelli imposti dalla Legge, la mano del padre levata in alto e pronta a colpire, e quando non *dovevano* partire per la guerra *dovevano* rimanere per servire la famiglia, obbedire a venerabili stronzi che li indirizzavano dove meno disturbavano e meno attentavano all'integrità del patrimonio familiare... Tu che hai di fronte un dopopadre esitante e in fondo complice, possibile che non capisca la fortuna che hai? Lo so bene che non basta, come Senso della Vita, un water pulito. Non sono così cretino. Ma il brivido (inedito nei secoli) di una relativa libertà, possibile che debba generare solo sciatteria e malessere, pigrizia e malumore, e non, anche, la condivisione di un sollievo, quello di avere finalmente abbattuto, tutti insieme, quel totem inumano, feroce, castrante che è l'Assoluto?

Ma questo, forse, si capisce solo molto tempo dopo, e tra l'altro non lo si capisce mai del tutto (il relativista rimane tale anche quando si tratterebbe di stabilire il decesso definitivo dell'assoluto...). E c'è un lungo frattempo – il tuo – nel quale evidentemente non basta, non funziona l'idea bizzarra che l'ordine possa generarsi anche da un'amichevole chiacchierata sul da farsi; e non solamente dall'esercizio del potere. Non ti basta un ordine semiautomatico, che richiede pochi e leggeri ritocchi, ed è così logico, così necessario da funzionare per seduzione e non per costrizione. Un ordine fraterno e non paterno, tra simili, tra eguali, un contagio democratico. Un ordine poco faticoso da insegnare, poco faticoso da imparare. Soprattutto: un ordine così poco invasivo, così poco opprimente, da preservare chi lo impone dallo sgradevole compito di farsi odiare.

In certe cupe riflessioni serali, mentre tu eri sparito nel tuo altrove e io rinchiuso nella mia impotenza, ho temuto di avere abdicato, come padre, e di averlo fatto per comodità e per pigrizia. Ma al tempo stesso valutavo l'insincerità che mi sarebbe stata necessaria per fingermi depositario di un ordine vero, articolato in regole ferree e punizioni esemplari. Tra simulare un'autorità ben strutturata ma finta, ed esercitarne una gracile e fluttuante, però autentica, che cosa è peggio? Dimmi, chi preferisci ritrovarti di fronte: uno che parla una lingua chiara ma non è la sua, oppure uno che parla proprio la sua ma non si capisce che accidenti sta dicendo? Nella furibonda disputa – l'ennesima – del mio parlamento interiore, dai banchi della destra si levano accuse cocenti contro l'imbelle rinuncia della sinistra a esercitare l'autorità. Ma anche quando sospetto che la destra abbia ragione, me ne rimango ostinatamente seduto sui banchi della sinistra. E lo sai perché? Perché non posso fare altro. Se non esercito il potere non è solamente per pigrizia (conta anche quella, ma non è così determinante). È soprattutto perché al potere, così come si è strutturato prima di te e di me, io non riesco più a credere. E dunque non posso, imbrogliando me stesso, imbrogliare anche te.

Guardami. Mentre nell'emiciclo tutto è tumulto e invettiva, e volano oggetti, e i commessi faticano a riportare la calma, io rimango seduto nel mio scranno – insignificante tra i tanti – a testa bassa, con le mani nei capelli. Ho davanti qualche appunto, la metà sono parole cancellate subito dopo averle scritte. Cerco di dare ordine, ed è per te che cerco di farlo. Ma la fatica mi sembra immane. Ripiego i miei foglietti. Esco a fare quattro passi.

Se non vieni con me al Colle della Nasca, ti rompo la schiena a bastonate.

14.

Cara Scilla,

quando leggerai questa lettera quasi certamente la guerra sarà finita e io sarò morto. Non so perché i due eventi – la mia fine e quella della guerra – mi sembrano coincidenti. Sono sempre stato molto presuntuoso.

Volevo dirti che avevi ragione su un sacco di cose, anche se non me le ricordo tutte. Tu sai quali, e l'importante è che le sappia tu, visto che io presto non ci sarò più e toccherà a te camminare per il mondo anche in mia vece. Mi sembra che l'ultima volta che ci siamo visti sia stato a Marsiglia. Eri con tua madre. Le somigli molto. Mi piacerebbe che tu somigliassi un poco anche a me, ma mi rendo conto che mano a mano che le generazioni si succedono il segno di ognuno di noi si stempera, come una goccia che diluisce fino a scomparire. Questa orribile guerra è scoppiata soprattutto per colpa nostra: non abbiamo mai accettato di dover scomparire, e quando toccherà a te – molto più presto di quanto credi – vedrai che non è facile accettarlo. Se posso darti un consiglio, comincia già da oggi ad allenarti. Io adopero, da anni, un sistema molto semplice. Mi piazzo davanti allo specchio, ripasso per bene la mia fisionomia e poi faccio uno scarto di lato, il più veloce possibile, continuando a guardare lo specchio. Può sembrare una cosa assurda e forse lo è, ma anche in mia assenza lo specchio continua a riflettere, im-

perterrito, la luce del mondo: le piastrelle del bagno, la mensola con la radio e il pennello da barba, un pezzo di finestra e dentro la finestra i rami del platano e qualche uccellino che va e che viene. Non hai idea di come mi rassicuri vedere che gli uccellini neanche si accorgono che sono sparito. Non mi tengono in alcun conto, gli uccellini. Tra morire bene e morire male, a parte le cause tecniche dell'evento, la sola vera differenza è essere contenti che gli uccellini ci siano anche quando tu non ci sei più, oppure dolersene e invidiare ai vivi la vita.

Quanto a voi, e a te in particolare: mi è molto dispiaciuto saperti invischiata in questa fogna di guerra. Sono cose da maschi, cose grevi, da industria pesante, e come dice il poeta "alle vostre caviglie tintinnano le maglie sottili dell'amore". Non hai idea di quanto mi siano piaciute le donne. Molto più degli uomini.

Volta questa pagina per sempre, cammina lungo le spiagge, chiacchiera e ridi con i tuoi amici mangiando la bouillabaisse *e quando il vino bianco ti avrà stufata, passa tranquillamente a un rosso leggero. E se ti capiterà di poterlo fare, metti al mondo un bambino, meglio un paio, è una tremenda rottura di scatole ma è anche il nostro dovere di riconoscenza alla vita, che è la nostra unica padrona. E un'altra cosa, anzi due. Una importante e una meno. Quella importante l'ho già dimenticata. Quella meno: fai in modo che i vasi di portulache nella mia casa al mare siano curati almeno un poco, e annaffiati ogni tanto.*

Tuo bisnonno Brenno

La lettera venne consegnata alla cassiera di una tabaccheria di Madrid dal tenente Asio Silver, fedele all'ordine ricevuto. Venne riposta in un cassetto in attesa di essere recapitata alla sua destinataria, combattente clandestina. Non si sa se sia mai arrivata nelle mani di Scilla o se sia andata persa nei giorni tumultuosi e splendenti della fine della guerra, quando la vita dei ragazzi rifioriva e il sangue dei Vecchi, nelle tombe con nome e cognome o nelle fosse comuni disseminate per tutta Europa, diventava polvere.

Ti ho preso un appuntamento dal famoso ipnotizzatore Tarik Agagianian. Credo che sotto ipnosi tu potresti agevolmente salire insieme a me fino al Colle della Nasca.

Poi un giorno ci sei venuto, al Colle della Nasca. Non ho capito bene per quale congiuntura, se per esasperazione o per pietà o per puro caso. (Perché non avevi nient'altro da fare. Perché ti sei distratto un attimo. Perché avevi perso una scommessa con i tuoi amici e la penitenza era "devi fare la cosa che ti fa più schifo al mondo".) Certo non per corrispondere a una delle mie innumerevoli e fallimentari forme di pressione, minaccia, ricatto.

Ma alla fine ci sei salito, e ci sei salito insieme a me. Quando non ci contavo più, e i miei sforzi per trascinarti su quel mio pietroso zenit parevano il prontuario completo dell'impotenza seduttiva e dell'insipienza educativa. *Se-ducere*, *e-ducare*, si tratta poi sempre di prendere per le orecchie uno, meglio se solo metaforicamente, e costringerlo a muoversi. E costringerlo a starti ad ascoltare. Ma anche duce ha lo stesso etimo. Anche conducator. Finiti meritatamente tutti e due, i conducenti, davanti al plotone di esecuzione. Me la ripeto sempre, questa cosa del duce e del conducator, quando necessito di una pausa di indulgenza rispetto al giudizio sulla mia pallida guida, caro il mio non condotto, non educato, non sedotto. Magari non è sempre così dannoso voler portare nessuno da nessuna parte, oppure, anche volendolo, non riuscirci proprio. Magari il non condotto pensa, a cose fatte e a esequie avvenute: non mi ha insegnato niente, quel mollaccione, non mi ha portato da nessuna parte, ma almeno mi ha lasciato vivere. Io poi in fondo, quanto a portarti, avevo ambizioni molto limitate. Volevo solo portarti in un posto preciso, solamente quello, il Colle della Nasca, e poi lasciarti in pace per sempre, sentendomi per sempre in pace anche io. Almeno formalmente non avevo, nei tuoi confronti, altre mire altrettanto esplicite.

Ero da quelle parti già da un paio di giorni, mi hai telefonato, mi hai detto che saresti arrivato. E stranamente non con drappelli di amici, o con una ragazza, insomma in una di quelle composite formazioni che hanno il vantaggio di creare folla evitando la fatica del tu per tu. Eri solo, dunque proprio tu e proprio io.

Mi hai detto: adesso che sono qui, portami dunque in questo cazzo di posto di cui parli sempre. Così vediamo, mi hai detto, che cosa c'è di così speciale.

Ti ho detto che non avevi i vestiti adatti. Mi hai detto che erano adattissimi.

(Avevi: sneakers gommose di consistenza semimolle e in avanzato stato di decomposizione, ideali per massacrarsi i piedi sui sassi aguzzi; brache a cavallo basso destinate al collasso dopo pochi passi, impossibile percorrere più di una ventina di metri senza slogarsi le anche nello sforzo di avanzare a gambe divaricate per sostenere le brache stesse; T-shirt bianca molto lisa con grosso buco di sigaretta sulla spalla destra; felpa di una qualche band di criminali tossicodipendenti mai sentita nominare; un paio di piercing; niente altro.)

Ti ho detto che da una tesi (io) e da un'antitesi (tu) deve necessariamente scaturire una sintesi, e che la sintesi poteva essere un'ispezione del mio armadio per vedere se trovavi qualcosa da metterti. Mi hai detto che dicevo cazzate. Ti ho detto che la vera cazzata è dire a un padre che dice cazzate, specie se non le sta dicendo. Mi hai chiesto se volevo litigare. Ti ho risposto che non stavo per niente litigando. Stavamo solamente – come sempre – dandoci un contegno. Tu il tuo, io il mio.

Siamo partiti, secondo precetto, poco dopo le cinque di mattina. Essendo più o meno l'ora in cui di solito vai a dormire, non ti è pesato. Hai passato la notte fumando, scrivendo sms, girovagando nel web, forse dormendo un paio d'ore sul divano, avvoltolato in un plaid. Il giorno prima, peraltro, ti eri svegliato alle tre del pomeriggio. Nella tua solita, perfetta sintonia con il fuso orario di Anchorage.

Io l'ho passata, quella breve notte, in un tenebroso dormiveglia, tra presagi di disgrazie in alta quota, colpi di tosse, confusi propositi di una paternità redenta e soprattutto (applausi! applausi!) redentrice. Ripassavo mentalmente il percorso, temendo di non ritrovare la deviazione sotto la vetta del Corno Basso. Non la facevo da almeno vent'anni, quella passeggiata. Da prima che tu nascessi. E nella vaghezza allarmante dei pensieri notturni il percorso, un tempo così familiare e fatto in giovinezza decine di volte, mi pareva confuso, forse più impervio di quanto ricordassi. Forse molto più lungo. Forse assai meno suggestivo, specie nella scarpinata iniziale dentro il bosco di larici, umido e interminabile. Confidavo invece nell'impatto estetico con la parte finale; ma la vedevo, in abbacinante contrasto con la coltre delle mie palpebre chiuse, pericolosamente esposta al vento, al freddo e al vuoto, e noi due inermi, io forse imprudente a portarti là in cima, anzi sicuramente incosciente, un pazzo, un padre sbruffone e prepotente che espone il figlio a un'avventura agghiacciante, chissà quanti ne sono morti, in montagna, di padri che simulavano prestanza per sedurre il figlio, vecchi coglioni in cattedra come me, e di figli che gli sono andati dietro per non deludere il padre, sai che affare, non deludere il padre...

Con quelle scarpe di merda, poi, ma perché usi solo quelle scarpe di merda, hai mai fatto caso di quante scarpe, di quante fogge, in quanti materiali diversi, dispone il genere umano? Cerca su Google, digita "scarpe" e vedi un poco che favoloso catalogo viene fuori, stivali, mocassini, polacchine, scarpe inglesi, scarpe italiane, scarpe tecniche per ogni sport, babbucce cinesi, scarpette lucide da ballerino di tango, galosce da pescatore, calzari di foca da eschimese, anfibi da soldato, ciabatte arabe, stivali sadomaso, calzari medievali di maglia di ferro... Esistono scarpe morbide, dure, pesanti, leggere, a punta, bombate, imbottite, scamosciate, con la suola di para, di corda, di cuoio, di plastica, di budello di bufalo, di moplen, di polimetilbifenile, scarpe da festa e scarpe da lavoro, scarpe con le borchie, la fibbia, i lacci e scarpe senza le borchie senza la fibbia senza i lacci, ci sono perfino quelle con il ricciolo in punta e un campanellino d'oro appeso, sai quelle dei giullari... E perfino – lo so, è incredibile –, perfino le scarpe da montagna, che si chiamano così perché servono per camminare in montagna. Sono impermeabili, con la suola robusta e bene aderente al terreno. Perché dunque vuoi salire a duemilasettecento metri con le stesse ciabattone deformi che usi anche al mare e in città, nella neve, nel fango, sul selciato, sottozero e con l'afa che fa bollire l'asfalto?

...E più immaginavo la luce e il vento incombere, di lì a poche ore, e presagivo la stanchezza, il freddo, la demoralizzazione, e ti vedevo assiderato e con i piedi devastati dalle vesciche, più mi rannicchiavo nel letto, nella piccola stanza buia, e raccoglievo braccia e gambe nel minore spazio possibile, come se quel rimpicciolimento fetale potesse rimandare il mattino, proteggermi da quella assurda passeggiata in un luogo che ricordavo male, e sul quale, rifacendo un po' meglio i conti, sarò salito in fondo cinque o sei volte al massimo, e come ogni maschio fanfarone ne parlo sempre come della "mia passeggiata", pensa quanto vaniloquenti, quanto cialtroni possiamo essere, noi maschi. Tutta la vita (tua) che ti parlo della "mia passeggiata"... ti avessi mai chiesto una volta se ne conosci una tu, di passeggiata, e perché non mi ci porti mai.

Sì, lo so che la tua passeggiata favorita quasi certamente non supera i trecento metri (e come percorrerne di più, con quelle scarpe di merda! con quelle brache!). So anche che con ogni probabilità si tratta dell'attraversamento di un parcheggio e di una rotonda tra il tuo chiosco favorito e la casa del tuo amico Pico o Bingo, non mi ricordo bene il nome (anche lui con quelle scarpe di merda! e quelle brache!). Ma almeno, decidendo di fare insieme la tua e non la mia, di passeggiata, non saremmo stati alla vigilia di una disgrazia alpinistica degna di un titolo a tre o quattro colonne sulla prima pagina di "Nice-Matin"...

Perché spingerti a tutti i costi nel mondo insicuro? Perché costringere anche te alle mie stesse prove in fin dei conti risapute, banalissime, ripetute per centinaia di generazioni con la monotonia della scimmia, sempre la stessa roba, la paura di non farcela, di precipitare, di sfigurare, di non essere all'altezza, la sopravvalutazione delle proprie forze, la sottovalutazione della inesausta ferocia del mondo, perché ti ho rotto l'anima così implacabilmente, negli ultimi dieci anni, per trascinarti su un mucchio di sassi stupidamente mitizzato dal bambino che fui, certamente ingannato a mia volta da un adulto invadente così come oggi pretendo di fare con te?

Il Colle della Nasca, nelle ultime folate di sogno o di semisogno, mi appariva come una forca arditissima, ad altezza siderale, battuta dalla grandine e frustata dal fulmine. Dalla quale ridiscendere – se mai ne fossimo ridiscesi – era il solo beneficio apprezzabile, perdere quota e tornare al sicuro, sotto un tetto, nelle piccole stanze dove misurare lo spazio e il tempo è certamente possibile, non lo fanno forse – da sempre – le donne, che non hanno nessunissimo bisogno, per esistere, di fare il cretino all'aperto?

Poi l'aurora cominciò a filtrare dagli scuri; la notte a svanire, come tutte le notti; e ogni cosa a riassumere in pochi minuti, grazie al passo maestoso e rassicurante della rotazione terrestre, i suoi veri contorni, illuminati e ragionevoli.

Ti trovai che fumavi sul balcone. Eri vestito come sei vestito tu. Ottenni solo di infilarti nello zainetto, con il tuo muto permesso, una mia T-shirt pulita, calzettoni pesanti, un K-way nel caso piovesse.

Avevi gli auricolari, come è ovvio. Ti avevo regalato il nuovo iPod la settimana prima, per il tuo diciannovesimo compleanno. Avrei voluto (dovuto? potuto? Faccio sempre più fatica a discernere, tra questi tre verbi) dirti che in montagna si ascolta solo la voce della natura, ogni altro suono è superfluo e disturbante. La bolsa retorica di quel concetto mi dissuase; rimasi zitto e ti evitai la fatica di dovermi rispondere (dopo esserti tolto un auricolare per capire quello che ti stavo dicendo) "le orecchie sono le mie". Forse l'eccezionalità della giornata meritava che evitassimo le ripetizioni, sia tu che io. Come se fossimo, o se provassimo a essere, almeno una volta, almeno questa volta, io un po' meno io, tu un po' meno tu.

L'alba era fresca, il cielo conteso tra le ultime stelle e la luce dell'aurora, la giornata prometteva di essere radiosa. Caricato lo zaino in spalla, scendemmo in strada. Tu mi sembravi pallido e assente, come al solito; e spavaldamente impenetrabile da quello che ti circondava quel mattino, così come da quello che ti circonda sempre. Come se andare in cima a un monte o all'allenamento di basket o a scuola o a una visita medica o in un centro commerciale fosse la stessa cosa e non potesse tangerti. (Oppure potesse farlo, sì, ma solo nel tuo profondo, senza che l'apparenza – le parole, l'espressione del volto – rischiasse di rendere tutto definito, e tutto logoro... e un attimo prima, mentre ti guardavo bere il caffè su un balcone di montagna tal quale lo avresti bevuto a casa tua in città, a Zanzibar o in un bar di Atlantide, avevo avuto come un'intuizione rivelatrice, e un brivido di speranza: che forse non sei, non siete abulici, cioè al di sotto del mondo, ma snob, cioè al di sopra. Snob di nuovo conio, che hanno fatto di necessità virtù. Dopotutto siete arrivati in un mondo che ha già esaurito ogni esperienza, digerito ogni cibo, cantato ogni canzone, letto e scritto ogni libro, combattuto ogni guerra, compiuto ogni viaggio, arredato ogni casa, inventato e poi smontato ogni idea... e pretendere, in questo mondo usato, di sentirvi esclamare "che bello!", di vedervi proseguire entusiasti lungo strade già consumate da milioni di passi, questo no, non ce lo volete – potete, dovete – concedere. Il poco che riuscite a rubare a un mondo già saccheggiato, ve lo tenete stretto. Non ce lo dite, "questo mi piace", per paura che sia già piaciuto anche a noi. Che vi venga rubato anche quello.)

Partendo ti sei acceso una sigaretta e mi hai detto, facendomi il verso: "Adesso si suda e si tace". Io facevo strada, tu mi seguivi muto, ascoltando in cuffia, immagino a un volume assurdo, non so quale geremiade di ghetti urbani assortiti. Pensai che tra il rap e i larici non potesse esserci rapporto alcuno. A meno di immaginare giovinastri neri e teppisti latinos di Denver, di Lione o di Napoli con il berretto al contrario e una lattina di birra in mano risalire in altre vite o in sogno, o dopo essersi sniffato un copertone, questo bosco, o un bosco come questo, anche loro sudando e tacendo... Non è scritto da nessuna parte, peraltro, che le montagne debbano essere l'eterno monopolio di signore e signori con i pantaloni al ginocchio e il bastone da passeggio, come nelle infinite fotografie, vecchie e vecchissime, accumulate alle pareti e nei cassetti di casa, zii, zie, nonni, avi ottocenteschi che nel loro bianco e nero dagherrotipico paiono esenti dalla fatica, ritratti sull'erta mentre salutano elegantissimi in mezzo a una montagna che è solamente nitore, bellezza e nitore, la disciplinata montagna borghese che in fondo è ancora la stessa dove pretendo di condurti, che mi illudo possa ordinare i tuoi pensieri e il tuo discernimento in modo simile al mio, chissà perché...

Io sono un borghese di sinistra. Da nessuna parte è scritto che anche tu debba diventare un borghese di sinistra.

Salivo trattenendo il passo, temevo che il tuo pacchetto di sigarette al giorno ti avrebbe tagliato il fiato, che ti saresti stancato presto. O stufato presto. E mi aspettavo di sentirti imprecare da un momento all'altro, per un sasso che ti feriva un piede, o per una storta alla caviglia. O perché maledicevi l'idea di avermi seguito fin lassù. Non ti avevo mai visto camminare più di dieci minuti filati, in qualcuno dei tuoi rari shopping al quale ero stato ammesso come finanziatore senza diritto di voto.

Ma per il momento, salivi e tacevi. Mano a mano che acceleravo il passo, ti avvertivo alle mie spalle. Quando sbucammo al sole, dopo un paio d'ore, sopra la linea degli alberi, e ci fermammo per levare le felpe, bere al torrente, tu fumare io guardarti fumare, non eri più sudato di me.

Mangiammo qualcosa, in silenzio. Eri pallido, con le occhiaie da video bene impresse. Ti guardavi attorno senza un sorriso, non so se rassegnato o distratto. Il lago risplendeva nella luce del mattino, vivo e sonoro per lo scroscio di un paio di rivi che cadevano dalla parete di roccia sul versante opposto. Saltava qualche trota, lasciando cerchi allargarsi nell'acqua. Avrei dato non so cosa per sapere se quella meraviglia ti coinvolgeva, ti toccava. Mi guardai bene dal chiedertelo.

Ti ho chiesto però delle scarpe. Mi hai detto: vanno benissimo. Sono perfette, le mie scarpe. Sono molto meglio delle tue.

La crisi ti è venuta dopo la ripartenza, mentre cominciava a fare caldo. Ti sei fermato dopo neanche un'ora di salita, a mezza strada tra il lago e la cresta, con le occhiaie scavate dalla fatica, il fiato grosso, l'umore cupo, dicendo che avevi male ai piedi e avevi camminato anche troppo. Ti ho detto che era un peccato tornare indietro, ma che l'avremmo fatto senz'altro perché è pericoloso camminare in montagna in cattive condizioni fisiche. Mi hai detto che non eri affatto in cattive condizioni fisiche. Ti ho detto che non avere allenamento, fumare un pacchetto di Camel al giorno e avere dormito solo un paio d'ore era l'equivalente perfetto di "cattive condizioni fisiche".

Hai tirato fuori dallo zaino un tuo berretto da rapper. Te lo sei messo con la visiera al contrario, non ho potuto evitare di farti notare che la funzione della visiera è riparare gli occhi dal sole. Io invece mi riparo la nuca, mi hai detto, e poi hai ricominciato a salire e tacere.

Mi è parso un apprezzabile moto d'orgoglio, ma destinato a durare poco: ci aspettavano ancora almeno due ore piene di salita sotto il sole, mentre il caldo cominciava a picchiare e la fatica si accumulava. Ti ho affiancato, ti ho visto guardare davanti ai tuoi piedi, camminare pallido, camminare annoiato. Mi preparavo alla nuova sosta e al ritorno.

Sei arrivato ansante, a passo lento, fino al sentiero che aggira il Corno Basso e poi infila la pietraia ripida che sale fino alla forca d'arrivo. Ti precedevo di poco. Mi ero fermato un paio di volte ad aspettarti. Ero dispiaciuto per te, per la fatica inutile che ti avevo inflitto, come se fosse obbligatorio amare la montagna, salire e tacere, inzupparsi di sudore, ricalcare le orme degli altri. Riflettevo che il mio mondo sentimentale e culturale è in fin dei conti il lascito di un pugno di generazioni, un paio di secoli al massimo, il mondo borghese con le sue promenades e i suoi knickerbocker è appena un piccolo segmento della lunga retta della Storia. In un montaggio neanche troppo fantasioso di miei ricordi diretti, e di vecchie fotografie, vedevo le generazioni precedenti salire quello stesso sentiero, i miei genitori, i nonni, gli zii, la categoria delle *marraines* e dei *parraines* che radunava le parentele imprecisate e gli amici di famiglia... Quanto mi sono sentito obbligato, lungo quella traccia tra tante? Quanto l'ho *voluto*? Quanto ho *dovuto*? Ed è poi così necessario saperlo?

Salivo a testa bassa, con il fiato corto ma regolare, era un camminare introverso, ormai disattento al cielo e al paesaggio per quanto ero sprofondato nei miei pensieri. E tu?

E tu, di colpo, senza che ne avessi avuto percezione, non eri più alle mie spalle. Mi sono voltato con qualche ansia, non sentendoti più camminare, e non ti ho visto. Capendo che mi ero distratto, che ero riemerso da chissà quanti minuti rimuginanti, solitari, mi sono spaventato, e ti ho chiamato ad alta voce. Un paio di volte. Nessuna risposta. In ansia, ho fatto qualche passo in discesa, per tornare a cercarti.

Poi ho sentito la tua risposta – *Sono quiiiii!* – rimbalzare tra i sassi, arrivando da lontano. Cercavo la tua sagoma più in basso, voltato verso il percorso già consumato, percorrendo con lo sguardo i lastroni di ardesia in mezzo ai quali l'esile traccia del sentiero si perdeva. Ti ho sentito ancora:

Sono quiiiii! Papàààà!

Udire il nome del padre nella sua forma infantile fece lievitare la mia ansia fino a mutarsi in spavento. Sentirmi chiamare papà, e da lontano, e in quella esposta porzione del mondo, in quella incerta dimensione del tempo dove la mia infanzia ancora galleggiava, quasi mi atterrì. Come un'accusa. Un richiamo all'ordine. Io – non altri – sono quelle due sillabe. Io sono quello che *deve*. Forse non vuole, forse non può, comunque *deve*.

Confuso, e sentendomi ingannato dalla quota e dalla vastità, ruotavo lo sguardo ovunque, perlustrando tutti i trecentosessanta gradi dei quali ero lo sperduto centro. E finalmente ti ho visto. Eri in alto. Molto più in alto di me, quasi un chilometro avanti, appena sotto alla sommità del colle. Mi avevi sorpassato e seminato senza che me ne rendessi conto, immerso com'ero nei miei complessi rendiconti con i massimi sistemi. Sentii il fiatone, all'improvviso, opprimermi, e le gambe pesanti, come se tutti i miei anni, tutti i miei passi, reclamassero udienza. Tutti insieme.

Sopra di te solo il cielo limpido rarefatto dei tremila metri, un blu cobalto che contiene il nero cosmico, ma quando è acceso dal sole diventa pura luce. Mi fermai a guardarti, meravigliato, infine emozionato. Salivi veloce, con un passo elastico, che esprimeva destrezza, sicurezza, forse felicità, quella felicità che solo a dirla, in relazione a te e agli altri della tua tribù, le lacrime mi velano gli occhi. Mentre non ti guardavo ti eri assestato le brache alla vita, stringendo la cintura. E a vederti da sotto quasi volavi, con le tue gambe lunghe e le tue scarpe assurde, magro, alto, padrone del percorso.

Molto più in alto di me.

Sei salito in pochi passi fino al colle. Quando la tua sagoma è arrivata a stagliarsi contro il cielo, al colmo, ti sei voltato, hai levato il berretto da rapper e l'hai sventolato verso di me. Eri troppo lontano perché potessi vederti in faccia, ma so che sorridevi. Poi mi hai dato le spalle, ti sei calcato di nuovo il berretto in testa e in pochi passi sei scomparso dietro il ciglio grigio della montagna.

Ti ho chiamato – *Aspettami!* – ma non hai risposto. Non mi sentivi più.

Finalmente potevo diventare vecchio.